collection *fugues*

Mes quatre femmes

Gisèle Pineau

Mes quatre femmes

récit

Philippe Rey

© 2007, Éditions Philippe Rey
7, rue Rougemont – 75009 Paris
www.philippe-rey.fr

La mémoire est une geôle.
Là, les temps sont abolis.
Là, les morts et les vivants sont ensemble.
Là, les existences se réinventent à l'infini.

Elles sont quatre.

Elles sont pareilles aux quatre roches jetées sur un morceau de terre qui ne vous appartient pas et sur lesquelles, autrefois, on déposait sa case de bois et tôle, là-bas, aux Antilles. Quatre roches qui au fur et à mesure faisaient corps avec la terre noire. Se couvraient d'une mousse verte et poisseuse, abritaient la vermine. Quatre roches silencieuses que personne ne se souciait de récurer mais qui étaient de la famille cependant, pouvaient reconnaître, yeux fermés, chacun des occupants de la case, à son pas, au son de sa voix, à ses soupirs.

Quatre roches qu'on abandonnait sans regret derrière soi, au temps du départ vers un morne, un flanc de montagne, un carré de la ville. Elles restaient là, ensouchées à la terre,

11

toutes bruissantes de souvenirs enfouis. Emprisonnées dans les herbes mauvaises, elles hantent encore certaines savanes. Quatre roches accompagnées parfois d'un vestige d'escalier, trois marches taillées dans une méchante maçonne, qui ne mènent nulle part, ou peut-être au ciel. Cœurs de roches qui geignent dessous le poids d'une case fantôme. Roches inutiles qui ne délimitent plus rien que le vent, l'absence. La nuit venue, elles racontent à la lune pleine les histoires d'un antan qui n'intéresse même plus les soucougnans. Elles ont en mémoire les jours de grands cyclones, les cris, les pleurs et les prières dans la case chahutée par les vents. Elles se rappellent tous les sanglots versés avec la pluie. Chaque sanglot. Et puis les rires aussi. Les rires grelots des enfants, les rires cymbales des négresses amoureuses, les rires gwo-ka des hommes.

Elles sont quatre.
Angélique, Gisèle, Julia, Daisy.
Quatre femmes enfermées entre les quatre murs d'une geôle noire. Elles se consolent l'une l'autre, pansent leurs plaies. Pour faire passer le temps, elles jouent à la marelle ou bien à la dînette. Sans même s'en rendre compte, elles redeviennent parfois des fillettes insouciantes qui rient dans les jeux d'un autre âge. Chacune parle à son tour et expose les voilures de sa vie qu'elle enguirlande et brode à sa manière. Toujours, les mots sèchent les mares d'eau saumâtre qui noient leurs yeux. Toujours, les histoires qu'elles tissent finissent par se poser, tel un cataplasme sur les blessures anciennes,

tel un onguent frotté sur la douleur des cicatrices. Toujours, les paroles les font voyager loin de la geôle obscure. Elles ne se lassent pas d'écouter unetelle débobiner son existence qui, selon l'heure, se colore d'or, d'azur, du vert de l'espérance. Elles rêvent de paradis, recomposent leurs jours, troquent les anecdotes. Alors, elles remercient Dieu ou Diable de leur avoir donné le conte pour attendrir les heures.

On ne peut les séparer. La porte s'entrouvre parfois. Un rai de lumière jaune jaillit, balafre le sol de terre battue, les aveugle. Elles se retirent aussitôt au plus noir de la geôle. À les voir, on dirait qu'elles craignent d'être brûlées, transpercées, pourfendues par quelque arme tranchante, coutelas, machette, hallebarde d'une époque révolue. Apeurées par les bruits qui montent du dehors, elles nouent leurs mains et tous leurs membres ensemble. Ne forment plus qu'une seule créature tremblante, bosselée, abominable, pourvue de quatre têtes, embarrassée de multiples bras et jambes emmêlés, ailes et pétales froissés.

C'est sûr, une parenté les lie. Et, sans doute, portent-elles chance, comme le trèfle, lorsqu'il déploie ses quatre feuilles. Il est doux de croire en sa bonne fortune. Se figurer ces quatre femmes telles des cariatides qui, par-delà les temps, vous soutiennent sans faillir, vous assurant une solide assise sur cette terre. Des mères lointaines, façonnées dans le roc, qui vous ont fondé et nourri du lait de leurs seins lourds. Imaginer qu'elles vous ont cajolé, bercé et vous ont chanté des

13

comptines. Elles vous ont raconté tant d'histoires... Des mirages et des épopées domestiques, des exils et de tristes mariages. Tant d'histoires... Quelquefois, on attrape au vol des bouts de recettes accommodées à la créole : igname à l'eau salée, cassave-manioc, salade de pawoka amer, fruit à pain en migan, coco sec gragé pour un tourment d'amour, une pincée de cannelle et muscade, une gousse de vanille. Ces quatre femmes, on les devine le cœur ouvert, impatientes de transmettre un savoir, d'offrir un lot de connaissances où il faudra puiser, trier le futile du nécessaire, désemmêler les fils empoussiérés.

Un jour, vous croyez les avoir oubliées. Elles font silence et votre mémoire n'est plus encombrée de leur âpre présence. Le lendemain, fébrile, vous les cherchez, fouillant vos souvenirs. Et il apparaît que chacune incarne la saison d'une histoire qui, s'accolant à celles des autres, rassemble et ordonne les morceaux de votre être. Celle-là a dessiné le pays. Celle-ci a légué le nom. La troisième a posé la langue. La quatrième a cédé le prénom.

Gisèle

Le silence rôde à ses bords. Qui peut dire ce que lui chuchote le silence ? Les trois autres ont toujours l'impression que Gisèle prête l'oreille à des invisibles qui sont là, avec elles, emmurés dans la geôle sans fenêtre. Gisèle porte un chapeau. C'est la seule à porter le chapeau. Elle s'obstine à garder sur la tête ce chapeau de paille qui lui masque la moitié du visage. Ici, pourtant, le soleil ne perce pas.

Les yeux des femmes se sont accoutumés à la pénombre. Les quatre voient ce que personne ne pourrait discerner. Elles voient le temps d'hier avec clarté. Comme des rivières, elles regardent s'écouler les vies des unes et des autres. Elles connaissent par cœur l'histoire de Gisèle. Chacune pourrait la raconter à sa place, en l'enjolivant de la façon sucrée dont Gisèle abuse pour livrer les morceaux de son existence.

Avec Gisèle, tout commence toujours par la fin. Il n'y a pas de suspense. Elles savent déjà qu'elle est morte dans la fleur de l'âge. Emportée par le chagrin. C'est ce que les vivants qu'elle a laissés n'ont cessé de répéter et répètent encore soixante années après sa disparition. Longtemps, ils ont tangué entre colère et larmes. À maintes reprises, les observant, Gisèle a voulu leur demander pardon, mais elle n'avait plus de voix. Les sons ne sortaient plus de sa bouche. Emportée par le chagrin : c'est tout ce que ses parents pouvaient murmurer, les yeux humides, le mouchoir à portée de main.

Après la mort de son jeune époux, elle n'a plus jamais parlé à quiconque, même pas à ses trois enfants agrippés à ses jupes et jupons de dentelles. Même pas pour souffler à ses orphelins que la terre ne s'arrêterait pas de tourner parce qu'ils avaient perdu leur papa. Leur dire que le soleil continuerait de briller, pendu haut dans le ciel à midi, et à se coucher avec la nuit. Ils étaient si petits. Que comprenaient-ils à la mort ? Ils avaient vu, allongé dans son cercueil, le long corps immobile de leur père. Si beau, revêtu de ce costume empesé, autrefois réservé aux jours de fête et aux cérémonies. Son costume de Tergal noir trois pièces qu'elle époussetait la veille des grandes occasions et couvait du regard, à croire qu'il représentait, tout entier, sa réussite à elle sur cette terre.

Ses petits ont suivi le cortège funèbre jusqu'au cimetière. On les avait revêtus de leurs habits du dimanche. Autour d'eux, les grandes personnes sont accoutrées de manière un peu théâtrale, comme pour un défilé de carnaval, sauf qu'il n'y a pas de couleurs vives. Que du noir. Et des mouchoirs blancs qui volettent sur les visages tels des papillons. Des mouchoirs blancs trempés de suées et larmes. Les femmes arborent des chapeaux grotesques parés de plumes de corbeau et de voilettes de tulle piquées de points de croix noirs, qui ressemblent à s'y méprendre à des toiles d'araignées dans les fils desquels des mouches moribondes seraient en train de gesticuler et se dessécher. Et leurs robes de taffetas à plis et fronces et replis font des châteaux de carton-pâte vernis au pinceau, lustrés, clinquants. Certaines boitillent dans leurs souliers de cuir noir, si bien cirés, miroirs. Escarpins et bottines à boutons trop serrées qui étranglent leurs pieds habitués à fréquenter la terre sans attribut ni épithète.

Emportée par le chagrin.

Gisèle se souvient… La route est longue, poussiéreuse, parsemée de petits cailloux qui craquent sous les semelles dures. Elle marche en tête de la procession. Elle fixe intensément le cercueil qui bringuebale sur la carriole menée par un croque-mort sapé comme l'as de pique. Ça se voit, c'est un palefrenier dilettante que le Sieur des pompes funèbres a ramassé vitement à un quatre-chemins. Un de ces nègres qui bayent aux corneilles tout au fil du jour et qu'on a embauché, contre trois sous percés, pour l'après-midi, le temps des funérailles. Il a l'esprit ailleurs et se fiche de la troupe éplorée qui va derrière lui, au pas de son canasson. Il fouette mollement son cheval, mais en cadence, à croire qu'une musique – peut-être une polka – lui trotte dans la tête pendant qu'il conduit le convoi au cimetière.

Deux de ses enfants cheminent à ses côtés. Quelqu'un porte la plus jeune qui chigne pour du lait ou un mal de ventre. Gisèle sait que sa mère a pris son bras. Son père est là aussi. Ce temps s'embrume. Alentour les visages sont nombreux mais curieusement indistincts. Les figures semblent couvertes de cendre. De la cendre et des larmes. Soudain, les nuages se font lourds. Le ciel s'emballe, s'embâcle, s'embrase. Et il y a du monde, là-haut, qui fait bacchanale. Gisèle avance, suit la carriole mortuaire, marche tel un pantin. Un pas et puis un autre. Un pas devant l'autre. Froide, la chair mécanique. Sans fatiguer, elle aurait pu aller ainsi pendant des siècles, le regard crocheté à ce ciel, fascinée par le spectacle fantasmagorique qui se joue juste au-dessus du cortège.

D'abord, elle voit apparaître des faces hilares qui lui tirent la langue, teigneuses. Les créatures sont coiffées de nattes noires tressées serré. De longues nattes qui commencent à se mouvoir étrangement, pareilles à des femmes lascives, enfiévrées, en quête d'un amour adultère. Elles roulent et se trémoussent. Faut les voir, enlacées, se frotter les unes aux autres, se caresser l'entrejambe, se sucer les tétons. Mais, d'un coup, elles se séparent. Ou plutôt, des mains invisibles les arrachent à leurs malpropres étreintes. Et Gisèle se rend compte que ce sont des serpents. De monstrueux serpents noirs. Lovés dans l'ouate des nuages, ils dodelinent de la tête.

Leurs yeux sont jaunes. Jaunes comme le pus qu'elle a autrefois purgé d'un vieux bobo infecté que son époux traînait à la jambe.

Elle se souvient d'autres animaux armés de cornes, de longues dents acérées, de crêtes affilées pis que des lames de rasoir. Ces bêtes semblent se modeler et se défaire au fur et à mesure dans le ciel. Elle ne les craint pas. Elle marche. Un pas devant l'autre. Un pas après l'autre. Arrivée au cimetière, elle sait qu'elle désire la terre, passionnément. La terre rouge du cimetière. Alors elle n'est pas surprise lorsqu'on l'enterre avec son amour défunt. Elle a faim de cette terre. La faim tyrannique qu'éprouvent les femmes enceintes. Une envie de terre. Gisèle avait connu ce genre d'envie lorsqu'elle avait porté ses enfants. Envie furieuse de pistaches grillées, tout de suite. Envie d'un morceau de boudin brûlant de piment, à l'instant même. Envie d'un kalalou de crabe, sur-le-champ. Envie de terre. La terre rouge du cimetière, maintenant.

La terre emplit d'abord sa bouche. Elle fond sur sa langue mieux qu'un sorbet coco. Tapisse sa gorge d'un nectar de boue sucrée. Puis ses narines sont pleines de terre. Une terre comme neuve, jamais foulée. Une terre enivrante aux effluves de commencement du monde. Elle aurait voulu garder les yeux ouverts sous la terre qui pleut si douce sur son visage, le picote si tendrement. Ses paupières frémissent et papillonnent un moment avant de se fermer. Déjà, on jette des pelletées de terre sur son corps. Une terre lourde et grasse, irrévocable. Bientôt elle ne bouge plus. Enterrée vive. Débarrassée des tourments de ce monde. C'est ce qu'elle espère. Adieu, Gisèle, se dit-elle. Adieu, la vie. Adieu à jamais…

Elle ne sait par quel tour de passe-passe elle se retrouve assise au mitan de la case de sa maman. Elle ne peut dire de quelle manière les gens sont parvenus à la déterrer. À laver son corps de toute la terre rouge du cimetière. L'ont-ils baignée dans la rivière ? De quelle façon ont-ils procédé ? Déloger la terre de sa gorge engouée, de ses yeux qu'elle aurait voulu garder clos pour l'éternité, de ses narines qui ne demandent plus rien, ni senteurs de fleurs, ni parfum d'encens, ni fraîcheur du soir… Elle est revêtue de linge frais. Une longue robe de popeline flanquée de roses rouges qui ne lui appartient pas. Ça sent la lavande et le savon de Marseille que sa mère vendait autrefois à la boutique du bourg de Goyave. Ça sent la vie. Pourtant elle est déjà morte. Il y a combien de jours ? Elle n'a pas compté. Les morts n'ont que faire du temps des vivants.

Assise sur une berceuse qui couine et égrène les heures comme une horloge. Assise du matin au soir, sans boire ni manger. À quoi bon ! Elle est morte depuis si longtemps. Le jour même où elle a compris que sa vie entrait dans la débâcle… Le soir où ces hommes ont déboulé dans sa case… Quatre nègres de Vieux-Habitants empotés, trop serviables, qui lui ramenaient son époux, après l'avoir trimbalé et promené à travers les ruelles du bourg, tel un cochon sauvage étripé dans la forêt. Une bête traquée qu'ils avaient fini par avoir. Pas plus qu'un cochon noir qui fouillait la terre de son groin large et faisait ripaille des ignames plantées dans leurs jardins. Deux le soutenaient aux épaules. Chacun des deux autres se chargeait d'une jambe.

Gisèle se souvient... Elle se parlait à elle-même. Plutôt, une voix parlait en dedans d'elle. Une voix de crécelle au rire caustique habitait son âme en même temps que son corps.

La voix se nourrit de ses entrailles. Boit sans soif ses humeurs et son sang. Suce la moelle de ses os avec constance. Cette voix fait comme un écho au mitan de sa tête. Y plante des aiguilles rouillées. Gisèle serre les dents. Se mord la langue. Enfonce ses ongles dans les bras de la berceuse. De toute façon, elle n'aurait pu crier. Elle n'a plus de sons dans la gorge. Et tant pis si la voix se transforme en marteau et se met à lui assener des coups à n'en plus finir. L'assommer. Briser en mille morceaux son squelette. La réduire en poussière. Qu'est-ce que ça peut bien faire ? Elle est déjà morte.

Elle entend les bruits que font les gens autour. Ils la supplient à dix de reprendre goût à la vie. Un peu de crème caco. Une gorgée d'eau pour faire plaisir à maman, une bouchée pour papa. Elle est redevenue un tout petit enfant. Une personne immature, un brin débile, un poil turpide. Les vivants causent d'elle comme d'une embarcation sans amarres qui a livré sa vie aux hasards des avaries, aux tempêtes, aux vents mauvais. Elle dérive au gré du courant. Elle attend d'échouer quelque part, de couler. Elle espère prendre l'eau au plus vite, naufrager, gagner les grands fonds. Loin, imperceptiblement, elle perçoit parfois le babil de sa progéniture, les cris ténus de ses enfants dans des guerres sans butin. Au fond d'elle-même, la femme assise dans la berceuse et qui se balance sans fin sait qu'ils ont besoin de sa force, de son lait, de ses ailes. Las, elle est déjà morte. Emportée par le chagrin.

Daisy est la plus proche de Gisèle. En un autre temps, elles ont été sœurs de sang. Daisy est la seule à lui faire des reproches.

Pourquoi nous as-tu quittés ?

Pourquoi as-tu laissé le chagrin t'emporter ?

Pourquoi es-tu partie si tôt ?

Vingt-sept ans ! Non, c'est pas un âge pour mourir…

Angélique et Julia n'aiment pas ces litanies. À quoi bon remuer ces eaux croupies ! se disent-elles. Que Daisy se taise, enfin ! Qu'elle prenne son livre chéri ! Pourquoi récriminer ! Tout est accompli. Les morts ne se lèveront pas de leurs tombeaux. L'histoire de Gisèle est déjà écrite, il n'y a plus qu'à la raconter. Que Daisy se plonge dans sa lecture pour oublier le deuil et la perte et l'absence…

Laisse-la tranquille ! Elle n'a pas d'explication à te donner, souffle Angélique.

Alors, Daisy ouvre son livre. Elle essaie de lire, mais des larmes brouillent sa vue. Et les mots dansent sous le regard de la belle Daisy. Dansent une farandole dessous la pluie de ses yeux. Dansent la vie. Elle voudrait fuir cette geôle où elle n'a que faire. Ma place n'est pas ici, se dit-elle. Ces femmes m'insupportent. Pourquoi serais-je privée du droit de demander des explications à Gisèle ? J'ai accepté d'être enfermée ici pour cette seule raison. Percer le mystère de la mort de Gisèle et retourner à la vie. Au nom de tous ceux qu'elle a abandonnés, connaître enfin la vérité.

Daisy rumine son bon droit et songe à sa sœur autrefois assise dans la berceuse. Devenue muette. Si soudainement muette.

Se balançant.

Du matin au soir.

Se balançant.

Du soir au matin.

Satanée berceuse qu'elle ne semblait jamais quitter, de jour comme de nuit, même pas pour soulager sa vessie. Pas un soupir ne passait ses lèvres. Et les yeux de Gisèle étaient secs. Tellement secs. Et puis il y avait tout ce chagrin qui suintait de son être et l'enveloppait, suaire de bure. Un chagrin de glu, épais, dans lequel elle s'enlisait.

Le temps s'efface et Daisy revoit Gisèle dans sa pose de mourante. Ces bras coulés sur les bras de la berceuse telles des branches de bois mort. Ce corps qui attend de s'éteindre et ne fait plus qu'un avec le fauteuil à bascule dans lequel on l'a assise au troisième jour de son veuvage.

Daisy se souvient…

Elle marche dans les pas de Gisèle tandis que le cortège funéraire gagne le cimetière. On est dans un jour de grand deuil. Mais les pensées de Daisy sont voyageuses. Elles l'emportent en un temps du passé, un jour saturé de lumière, ce dimanche où Gisèle s'est mariée...

En ce 17 septembre de l'année 1942, le soleil brille à l'horizon. Il n'y a ni pleurs ni couronnes mortuaires. Seulement des dentelles blanches et des fleurs partout où porte le regard. Qui pourrait dire que les bombes pleuvent sur la vieille Europe et que le gouverneur Sorin, sacré suppôt du maréchal Pétain, fait régner la terreur en Guadeloupe ? Qui oserait penser que les temps sont à la restriction ? Des sourires sur tous les visages. Des négresses pomponnées et parées de l'or lourd de leur sueur, des robes-soie de leurs rêves. Des nègres parfumés vêtus comme des milords. Des nègres des champs qui, par on ne sait quelle magie, se sont métamorphosés en messieurs distingués à entregent et circonlocutions. Des nègres gaullistes qui ont mis entre parenthèses leurs songes de dissidence. Des négros à yeux doux et moustaches gominées... Et puis Daisy revoit la pièce montée phénoménale qui trône sur un tréteau recouvert d'une nappe blanche, immaculée. Une nappe constituée de huit sacs de farine-France que leur mère a cousus ensemble et brodés des nuits entières à la faveur de la lumière de la lampe à pétrole. On a payé un orchestre. Il joue tout l'après-midi...

Daisy ferme les yeux. Tous les acteurs de la scène sont en place. Virtuoses, les musiciens interprètent une biguine de Stellio. Le chanteur est un oiseau des îles. La salle de bal grouille de monde. Ho ! Regardez les élégantes valser et trépasser dans les bras de leurs cavaliers. Daisy fredonne cet air resté accroché à sa mémoire. Intacts, trois accords surgissent du temps révolu. Ils enserrent les cœurs. Angélique est la première à reprendre le couplet. Puis Julia joint sa voix à celles des deux autres.

Gisèle se berce un instant, reprend son récit. Nous avons dansé tant et plus. Et puis l'heure du couvre-feu a sonné. La fête finie, les musiciens ont remballé leurs instruments.

Je me souviens, murmure Gisèle, quand la musique s'est éteinte, les invités nous ont salués vitement. Je me souviens… Ils avaient peur. On aurait dit qu'ils se réveillaient d'un trop beau rêve, se demandant ce qu'ils fichaient là, dans cette salle de bal, alors que le monde était en guerre et les lendemains incertains. Je revois les visages inquiets, les sourires disparus, les regards affolés et les bouches molles portant des paroles sens dessus dessous. Fallait rentrer sans tarder pour ne pas croiser les gendarmes et les chiens de Sorin. Partir avant la nuit qui déjà déroulait ses draps noirs dans le ciel. Courir en rasant les murs, se fondre dans la noirceur et ne pas montrer les dents à la lune traîtresse. À un moment, je ne sais pourquoi, des visions de nègres marrons m'ont traversé l'esprit. J'ai pensé à un conte que nous disait Bonne-Maman. Ce conte de l'esclavage, du temps où Compère Lapin travaillait dans les champs de canne. J'ai vu nos aïeux poursuivis par des molosses aux mandibules baveuses. J'ai vu des nègres sauter la gigue sous la morsure du fouet. J'en ai vu d'autres pendus aux arbres, grimaçant la vie envolée. J'ai prié Dieu. Je Lui ai demandé de guider mes parents, amis et alliés, afin qu'ils échappent aux abois des chiens, au fouet, à la corde, et gagnent leurs cases sans encombre. C'était le plus beau jour de ma vie, soupire Gisèle. Le 17 septembre de l'année 1942...

Cette année-là, Daisy a dix ans. Demoiselle d'honneur, elle se voit bien décrocher un fiancé parmi les garçonnets conviés à la fête. En ce temps, elle rêve déjà d'un chevalier servant descendu de son cheval. Un qui viendrait s'agenouiller à ses pieds, lui mander sa main avec force courtoisie. Un amoureux qui l'enlèverait, l'emporterait loin de l'habitation, lui ferait voir du pays. Elle a découvert le monde à l'eau de rose par des romans-photos, en noir et blanc, qui viennent de France et servent de papier d'emballage aux bananes de l'exportation. Dans ses lectures passionnées, les âmes seules trouvent immanquablement leur moitié. Les histoires d'amour finissent toujours bien, avec mariage, marmaille et voyages en perspective.

Longtemps, le fringant mari de Gisèle est demeuré un parfait prince charmant, un personnage digne de figurer en bonne place aux côtés des bellâtres aux cheveux huilés qui sourient, dents blanches, sur les pages des revues volées au hangar à bananes.

Il a fait sa cour avec tout le tralala de sérénades, bel français, courbettes et moult visites aux parents. Sans trembler, il a marqué chaque station du chemin de croix des prétendants.

Salutations distinguées, chapeau bas, mots doux en veux-tu en voilà, promesses chuchotées, déclarations d'amour…

Daisy et Gisèle mettent en branle leurs souvenirs. Elles chicanent sur des détails, ajustent leurs récits et finissent par s'accorder sur une version consensuelle de l'histoire qu'elles livrent d'une même voix à Julia et à Angélique.

La première fois qu'il se présente à la famille, il reste debout devant la case, indésirable, à mendier la permission d'inviter sa belle au bal. On ignore le malotru. Lors de la seconde approche, la mère consent mollement à ce qu'il pose la moitié de son postérieur sur un des vieux bancs de la véranda. À la troisième apparition, péremptoire, le père lui ordonne de s'asseoir au salon, dessous une peinture funeste qui représente l'ange Gabriel harponnant le Maître des Enfers. Le courtisan, grimpé au rang de fiancé, apprend la patience et doit s'accommoder des sœurs chaperonnes, gardes-chiourmes en faction, toujours aux aguets. Les oreilles en éventail, elles écoutent toutes les paroles de miel. Elles repèrent, dans les phrases à étages, les termes un peu fielleux ou équivoques. Et, plus tard, elles répètent, avec leurs pauvres mots, ce qui s'est dit. Quand les amoureux vont au bal, les sœurettes sont de la partie, veillant les gestes déplacés et les mains promeneuses. Une balade dessous trois étoiles et un quartier de lune, elles ont aussi le nez en l'air tout en gardant, on ne sait par quelle contorsion, des yeux affûtés sur les promis. Un tête-à-tête vespéral face au champ de canne qui ondoie dans l'alizé, et elles sont là, toujours là, et elles trinquent aussi avec leurs gobelets de citronnade. Faute de mieux, les verres des fiancés s'entrechoquent et s'attardent. Les doigts se frôlent, levant des frissons de chair. Par mégarde, un auriculaire rencontre un annulaire. Les yeux ne se quittent plus et causent des délices de l'amour dans une langue silencieuse que les fillettes postées aux abords ne décryptent pas.

À la fin de leur récit, Gisèle et Daisy rient de bon cœur, se prennent les mains, s'étreignent.

Si tout pouvait recommencer, murmure Daisy.

Si j'avais été plus forte, souffle Gisèle.

Emportée par le chagrin.

Gisèle se balance dans sa berceuse. On a fait crier le médecin qui jure qu'elle se relèvera de ce chagrin. Chagrin d'amour ne dure qu'un temps, assure-t-il. Bientôt, très bientôt, elle s'occupera de ses marmots et, sans doute, se trouvera-t-elle un nouveau mari. Il rit à ses beaux présages. Paroles d'un homme de science, tout le monde y croit et rit derrière ses rires. Et, dans la case, chacun vaque à ses affaires, l'espoir au cœur, faisant l'entour de la berceuse où s'éteint doucement Gisèle. Elle est déjà flétrie et ratatinée, mais tous se sustentent de la prophétie de l'oracle médecin. Chagrin d'amour ne dure qu'un temps... À la fin, elle ressemble à une poupée de bois. Une popote de bois aux os saillants, le visage émacié, les bras ballants, les jambes pendantes flottant dans le vide. La tête lourde, le cou cassé, les épaules effondrées…

Un jour, monsieur l'abbé se présente à son tour. Il marmonne ses prières. Il voltige de l'eau bénite dans la case et brûle de l'encens pour chasser les démons – ceux du dedans et du dehors – qui entravent Gisèle, lui barrant la route du retour au pays des vivants. Et puis il fait de grands signes de croix tout autour d'elle. Des croix de fer forgé hautes et invisibles censées repousser les esprits mauvais qui ne cessent d'assaillir la pauvre créature. Enfin, il enjoint à chacun de prier. Prier pour l'âme tourmentée de Gisèle. Prier pour ses péchés. On allume des cierges. On paye d'avance trois messes. On promet de prier sans relâche. Sur le pas de la porte, le ton solennel, l'homme d'Église délivre son message d'espérance. Mais lorsqu'il s'en va, dans sa robe noire d'abbé, il laisse la mort accroupie dans un coin de la case, aux aguets. Il ne se retourne même pas pour faire l'aumône d'un au revoir. Il marche à grandes enjambées. Il va droit devant, la soutane au vent, à croire qu'il est poursuivi par quelque suppôt de Satan.

Gisèle se souvient… Les trois autres font cercle autour d'elle comme si elles entendaient son histoire pour la première fois. Angélique plie et replie la page jaunie de son journal. Julia suçote la branche qu'elle a arrachée à un goyavier avant de partir. Daisy caresse son livre, le serre sur son cœur à la manière d'une popote de carton et papier. Elles ont toutes été autorisées à rapporter quelque chose dans la geôle. Un objet qui compte et leur tiendra compagnie. Chacune, bien sûr, se moque du trophée de sa voisine. Le chapeau ridicule de Gisèle, la branche inutile de Julia, la page racornie d'Angélique, le livre insignifiant de Daisy. Aucune, cependant, ne songe à s'emparer du bien des autres. Elles savent que ces trésors gardent vivant le temps du dehors et ravivent les couleurs de la mémoire.

Gisèle se souvient... Daisy la lave, dénudant et recouvrant tour à tour des parties de son corps, préservant sa pudeur. La petite sœur dépose une bassine d'eau tiède sur le plancher, à côté de la berceuse. De l'eau de source, parfumée de feuilles de corossol, fleurs d'ylang-ylang, hibiscus.

Gisèle le reconnaît à présent, elle attendait le moment de la toilette. C'était, dit-elle, une heure de joie soustraite au chagrin.

Quand elle s'était tenue debout, autrefois, elle avait été une femme soucieuse de son hygiène. Elle se baignait le matin et le soir. Même si elle n'était pas une de ces négresses qui triment dans les champs de canne et laissent dans leur sillage des effluves malodorants, un peu aigres, elle restait vigilante. Elle n'entrait jamais dans la couche de son mari sans avoir, par précaution, reniflé l'odeur à ses aisselles.

À l'heure de la toilette, Gisèle aime sentir les filets d'eau douce rouler sur sa peau. Le gant tiède recouvre d'abord son visage de rosée. Puis il descend à mesure, caresse mouillée, et emprunte chaque sentier de son corps. Daisy a le geste très lent, patient, délicat, comme si Gisèle était une pièce de porcelaine fine qui risquait de se briser à tout instant.

Le jour de son mariage, ses beaux-parents lui avaient offert un service de porcelaine de Limoges. Il a dû valoir une fortune, s'écrie Gisèle comme si ce temps était celui d'à présent. Elle se rengorge et ses yeux luisent soudain d'une fierté posthume. Quarante-huit assiettes, vous imaginez... Douze assiettes plates. Douze creuses. Vingt-quatre assiettes dévolues aux desserts et aux entrées. Et puis un service à café avec des soucoupes et des tasses, un adorable petit sucrier et un pot à lait. Et aussi une soupière, des bols, des saladiers, une saucière, deux grands plats ovales et deux ronds. Le tout assorti ! Partout des fleurs peintes à la main sur la porcelaine. Des variétés de fleurs françaises authentiques. Bleues et jaunes. Si gracieuses… Gisèle n'a jamais eu l'occasion d'en faire usage. C'était trop précieux. En deux coups de fourchette, pensait-elle de son vivant, un rustaud endimanché risquait de lui ébrécher une assiette. Parfois, elle exposait quelques pièces du service sur la table de sa salle à manger. Et ses sœurs, venues en visite, avaient le droit de les contempler. Se tenir au loin. Interdiction de toucher, seulement avec les yeux. Et Gisèle jouait à la Madame qui reçoit ses invités.

Daisy revoit ces jours d'autrefois. L'air important, Gisèle parade dans sa case de Vieux-Habitants. Elle a un mari.

Un mari secrétaire de mairie. Alors, elle exhibe son alliance tout en caressant la porcelaine. Et il y a soudain comme une distance entre elles. Gisèle a quitté leur monde. Le monde de l'enfance. Elle vit maintenant chez elle, sous le toit de son époux, dans sa case à elle. C'est à présent une dame respectable. Nostalgique, Daisy regrettait leurs dînettes d'antan sur la véranda. Les boîtes de fer-blanc cabossé en guise d'assiettes et les cuillères grossières taillées dans le bois. Elles avaient été si proches en ce temps-là, mordillant les os des petits oiseaux qu'elles avaient chassés ensemble. Et joyeuses, tellement joyeuses et complices. Gisèle riait. Elle n'arborait pas cette mine compassée de Madame. Auparavant, ses yeux couvaient mille étincelles. Elle rayonnait et les rires qui sortaient de sa gorge ponctuaient toutes ses paroles. Rien alors n'aurait pu laisser présager qu'elle deviendrait cette grande personne pincée, cette maîtresse de maison un peu affectée qui n'avait en bouche que des interdictions et donnait si tant d'importance à de la vaisselle qu'elle ne s'autorisait même pas à utiliser.

Qui a hérité de son service en porcelaine ? Mariée le 17 septembre de l'année 1942, au beau mitan de la guerre. Sur quel bateau miraculeux avait-il voyagé ? Dans quel magasin de La Pointe avait-il été mis en vente ? Sûrement Au Bonheur des Dames… Et à quel prix ! Mais peut-être était-il arrivé bien avant la guerre, longtemps avant le blocus des Américains. C'est sûr, il avait dû valoir une fortune…

Ma foi, tout cela n'a plus guère d'importance, se dit Gisèle. Pourtant, des questions continuent de la hanter. Et elle les déroule à haute voix, son esprit ne cessant de produire des pensées où dominent les regrets. La soupière dort-elle encore dans sa caisse de bois, en son nid de paille et de copeaux ? Et les quarante-huit assiettes ? Est-ce que des gens ont osé s'en servir ? Combien de pièces ont survécu au temps, à la maladresse d'une main sacrilège, aux tremblements de terre qui, jusqu'au fond des placards, vont chercher et briser la belle vaisselle de France ?

Daisy voudrait bien satisfaire la curiosité de sa sœur, mais elle ignore ce qu'il est advenu du fameux service. Elle s'interroge, dévisageant Gisèle. Si cette dernière avait manifesté le même attachement à la vie, sans doute aurait-elle survécu à son époux. Elle aurait lavé son âme de ce chagrin d'amour. Elle aurait été invitée à la fête d'anniversaire de Daisy. Soixante-quinze ans en l'année 2006 et toujours le même allant pour la vie, toujours un cœur de jeune fille, toujours des rêves de voyages plein la tête.

Tu aurais vu mes petits-enfants, soupire Daisy. Et depuis peu, figure-toi que je suis arrière-grand-mère… On avait mis les petits plats dans les grands le jour de mon anniversaire. J'étais entourée de tous mes enfants. Maggy était là, bon pied bon œil. Si tu avais survécu, on aurait posé ensemble – les trois sœurs – pour une photo souvenir…

Tu aurais pu garder mon service. Tu l'aurais utilisé pour ta réception. Tu ne sais vraiment pas… Qui donc l'a récupéré…

Les autres sont lasses d'écouter ces refrains. À quoi bon connaître le nom du bateau, le prix de la vaisselle, le nombre de pièces sauvées, le destin des tasses et des plats... Pourquoi Dieu s'inquiéter de ces futilités quand on est morte à vingt-sept ans ! Certains jours, Angélique lance à Gisèle qu'elle aurait mieux fait d'emporter une de ces assiettes en souvenir des jours heureux. Alors, elle aurait pu imaginer le service dans son entier. Elle aurait eu tout le temps d'admirer ces fleurs de France peintes à la main sur la porcelaine. Mais non, Gisèle a préféré prendre son chapeau. Un chapeau de paille ordinaire, à large bord, qui ombre la moitié de son visage.

Gisèle porte ce chapeau sur la seule photo de l'album familial où elle apparaît. Un cliché au pourtour dentelé à la façon de jadis. C'était la plus belle d'entre nous, déplorent encore ses sœurs, tentant de décorner nerveusement un coin de la photo. Aujourd'hui, Maggy et Daisy sont devenues de vieilles femmes aux articulations raides, mais si on les pousse un peu, elles se souviennent et enjambent les temps avec la souplesse d'un tandem de ballerines. Elles se souviennent... Elles avaient posé ensemble sur la plage de Goyave. C'était l'année 1948, affirme Daisy. Six ans déjà que Gisèle était mariée. Il ne lui restait plus qu'une année de vie. On sortait de la guerre qui avait fait tellement de ravages et endeuillé tant de familles ici-là. Au bourg, dans son jardinet fleuri, le soldat inconnu de la der des der avait cru qu'on viendrait graver sur sa stèle les noms des jeunes nègres de Goyave partis chercher leur mort pour Mère Patrie. Las, il attendit en vain la compagnie de ces nouveaux amis... C'était bien l'année 1948, confirme Maggy. Depuis peu, on avait quitté le rang de colonie. On avait été reclassés département français d'outre-mer. On nous avait reconnus tels des vrais Français et beaucoup rêvaient de la métropole comme d'une terre de renaissance. Oui, les gens commençaient à aller et venir. Ils embarquaient dans le ventre des gros paquebots transatlantiques. Sur le quai, enchaîne Daisy, longtemps les parents et alliés reprenaient les refrains : *Adieu, foulards, adieu, madras, adieu, soleil, adieu, colliers-choux...* Longtemps, jusqu'à ce que le mastodonte ne soit plus qu'un point insignifiant à l'horizon, un mirage de panache blanc avalé par l'océan. À leur retour, ceux qui avaient foulé le sol de la belle métropole racontaient les quatre saisons, les fraises et les pommes-France, les manières des Blancs, le travail facile même si tu n'as guère fréquenté l'école... Sur la photo, avec d'autres, parentes et voisines d'antan, Daisy et Maggy font cercle autour de Gisèle. Elles constituent une sorte de garde-corps. Peut-être pressentent-elles déjà ce qu'en douce le destin lui mitonne. Il y avait beaucoup de soleil ce jour-là. Daisy arbore ce genre de maillot de bain gigantesque, à la mode dans les années quarante. Taillé dans de la cotonnade, il est mouillé et moule ses formes pleines. Sans doute l'a-t-elle cousu elle-même, prenant modèle sur des catalogues sortis de France. Les personnages secondaires de la photo sont vêtus de robes qui flottent au vent.

Assise sur sa berceuse jusqu'à la fin.

Après la toilette, Daisy la coiffe.

Daisy la coiffe chaque matin.

Pour tuer le temps, Daisy la coiffe dans la geôle noire.

Tu as de si beaux cheveux, murmure Daisy.

C'est ce qui lui plaisait le plus, je crois. Mes cheveux. Il m'appelait sa belle mulâtresse. Il enroulait des mèches de mes cheveux entre ses doigts et ça donnait des guirlandes et des serpentins.

Daisy se souvient… Elle a seize ans. Après la toilette, elle coiffe sa sœur. Elle fait entrer profond le peigne dans la chevelure de Gisèle. L'esprit vagabond, elle passe la moitié de la matinée à la coiffer, à tracer des raies et tresser des nattes, à construire de savants chignons traversés d'épingles, à mêler et démêler les cheveux de Gisèle.

Il est des jours où, traquant les nœuds, la jeune Daisy demeure silencieuse, tout engourdie de sombres pensées, repoussant au plus loin les images funèbres qui, au fil du temps, prennent corps dans sa tête. D'autres fois, elle se lève gaillarde, rêve d'un miracle. Aujourd'hui, se dit-elle, Gisèle va parler de nouveau. Aujourd'hui, elle va revenir de sa trop longue absence et le docteur aura raison. Alors, Daisy plante les dents du peigne avec férocité sur la tête de sa sœur. Elle lui tord et lui tire les cheveux pour remuer ses sangs, lui arracher un cri de douleur. Un cri qui la ramènera à la vie. Gisèle ne bronche pas. Ne tente même pas un geste de défense. De guerre lasse, Daisy essaye la méthode douce. Elle lui fredonne le refrain d'un trio en vogue. Elle sifflote l'air d'une biguine sur laquelle Gisèle a dansé, autrefois, au bal, dans les bras de son fiancé.

Elle la coiffe le jour de sa mort.
Emportée par le chagrin.
Quel chagrin ?
Chagrin d'amour.
Gisèle se souvient… Jeune mariée, elle va au bal. Il est fier alors de la voir pendue à son bras. Elle se tient droite, prend des poses de reine. Et c'est ainsi qu'il l'appelle la nuit venue, lorsque leurs corps se cherchent dans les draps. Ma reine, ma mulâtresse… On est en guerre. C'est peut-être l'année 1943. On n'a pas grand-chose à se mettre sous la dent pour caler son estomac. On plante son manger. On pratique le troc : une livre de farine-manioc contre deux crabes de terre, un pain-banneton marchandé pour un lot de citrons verts. Mais la vie continue… Ils dansent jusqu'au couvre-feu. Étourdis de musique, ils rentrent, se soutenant l'un l'autre, amoureux à la folie, tellement étonnés de s'être trouvés. Tu es mon âme sœur, lui chuchote-t-il en enserrant sa taille de guêpe. Tu es le soleil de mes nuits… Que serais-je devenu si tu n'avais pas existé ? En ce temps, chaque jour est une fête. Pas un seul de ces maudits nuages ne couve à l'horizon. Et quand sa maman la visite à Vieux-Habitants, les yeux toujours un peu inquiets, les oreilles quémandant des confidences amères, Gisèle n'a rien à dire. Elle est heureuse. Elle ne connaîtra pas

le destin de sa sœur aînée qui vit à Port-Louis et s'étiole dans un mariage raté. Elle est heureuse. Son mari, fier secrétaire de mairie, est un trésor. Le trésor que chaque femme rêve de rencontrer et d'alpaguer. Non, le sourire de Gisèle n'est pas un masque qui dissimule des larmes. Il n'y a rien à raconter sur les gens heureux. On se contente de les regarder s'épanouir au soleil, telles des fleurs un peu irréelles. On se réjouit pour eux. Ils sont passés à travers le trémail du malheur.

Elle a porté trois enfants. Tous vivants. Nés de l'amour, l'un après l'autre. Nés d'un si bel amour. Le temps file, se souvient Gisèle. Elle a, c'est vrai, connu les douleurs de l'enfantement, mais elle a survécu. Elle a oublié les cris qui déchiraient sa gorge. Oublié le feu d'entre ses cuisses. Oublié le visage de la mort qui l'avait approchée. Elle s'est relevée guillerette de ses couches. À la naissance de son aîné, elle a l'impression que la réalité n'est qu'un prolongement de ses jeux de fillette. Tout semble si simple. Quand elle prend soin de son bébé, elle joue à la maman, répétant les gestes expérimentés sur ses baigneurs. Chaque instant de sa vie s'ouvre comme une saynète. Et devant le monde, même sa famille, elle est en représentation, fait son cinéma et s'envoie des fleurs... À côté d'elle, l'actrice principale, ses cadettes campent de si pâles figurantes. Raide dans son rôle de mère, Gisèle leur donne la réplique d'une manière un peu drama-tique. Mais tout cela n'est que comédie et mise en scène. Parfois, elle revient à Capesterre et passe quelques jours auprès des siens, dans la case familiale. Les petites se disputent son poupon fait de chair et d'os. Elle fronce les sourcils. Attention ! Attention ! Vous allez casser le cou de mon enfant ! Attention à ses yeux ! Attention ! Il faut soutenir son dos ! Attention ! Vous allez l'étouffer… Retournez donc à vos poupées !

D'un coup, tout s'est précipité, souffle Gisèle. Elle marque un temps, prend une inspiration. Tout s'est précipité, répète-t-elle en se mordant les lèvres.

La guerre a pris fin. On est en 1946…

Quatre années de mariage et, soudain, les jours sont pleins de cris d'enfants. Et elle n'a pas assez de ses deux bras pour accomplir sa tâche. Lui part tôt le matin. La laisse seule, des longueurs de jours. Seule au pied d'une montagne de linge à laver et repasser. Seule face à des murs de doute dressés tout autour d'elle. Seule, pétrifiée, devant ses trois bambins qui exigent d'elle une attention constante. Préparer à manger, baigner, consoler, cajoler, réprimander. Emmener les petits partout avec elle, puisqu'il est impossible de les laisser sans surveillance dans la case. La dernière dans les bras, courir à travers les rues du bourg pour des courses, et s'en revenir bâtée comme un mulet, éreintée. Et puis pédaler, pédaler à toute vapeur sur sa machine à coudre et tailler des vêtements à la chaîne. Avec la marmaille, galoper encore jusqu'au marché pour une branche de cives oubliée. Faire des civilités sur son chemin. Et retrouver la case au bout de sa route. Sa case pareille à une nasse.

Et Gisèle se sent rapetisser dans l'humble case qui prend des dimensions phénoménales. C'est sûr, la case veut l'écraser, se refermer sur elle, briser ses os. Alors, des douleurs se lèvent en vrai dans ses chairs. Mal aux reins subit et coups de tison au mitan de la tête. Courbatures et piqûres mystérieuses, élancements sans fondement... Est-ce qu'une femme jalouse ne l'a pas prise en grippe ? se dit-elle. Peut-être, sûrement, son destin est-il déjà aux mains d'un sorcier qui la travaille au corps... Qu'est-ce qu'elle en sait ? Les méchants sont à l'œuvre aux alentours. Pourtant sa maman l'avait mise en garde. Ne pas afficher son bonheur. Ne pas marcher dans la rue la tête haute pareille à une aristocrate. Ne pas montrer sa chance. Ne pas donner à voir sa prospérité... Les nègres n'aiment pas que leur voisinage échappe à la misère. Ils vous veulent ruinés, en guenilles, le ventre creux. À votre passage, ils vous saluent bien bas, grignent un sourire, mais leurs pensées sont malfaisantes. Ils espèrent une seule chose : votre chute. Non, ils ne se réjouiront pas de votre bonne fortune. Ça leur tord les boyaux de vous envisager en joie, belle famille, beaux enfants. Ils auraient préféré vous savoir rouée de coups, affamée, déraillée par la vie.

Les enfants grandissent si vite, soupire Gisèle en lissant le bord de son chapeau. Ils se rient de l'époque où elle se croyait reine en son château de planches et tôles. Ce temps est échu, disent leurs yeux. Tu n'es plus qu'une mère à présent. Tu nous as désirés. Tu nous as portés en ton ventre et tu nous as mis au monde. Nous t'avons déchirée. Et puis nous avons dévoré tes tétés. Nous avons empli tes jours. C'est notre droit. On ne t'avait rien demandé. Maintenant, tu regardes ton corps dévasté et tu geins. Tes seins pendent sur ton estomac. Ton ventre marbré est pareil à une vieille outre vide. Tu es une mère, Gisèle. Tu dois t'en accommoder à présent. Non, nous ne sommes pas des poupées. Tu ne joues plus à la dînette. Une mère se sacrifie pour ses enfants. Une bonne mère vit dans l'amour de ses enfants. Elle est leur servante. Elle ne leur prête pas une âme de tyran. Elle s'oublie…

Dépassée. Gisèle est dépassée par les événements. Elle voulait incarner la perfection. Bien faire. Domestiquer ses états d'âme. Maîtriser le courant fou de la vie. Dompter le temps pressé. Mais tout va de travers. Tout lui échappe. Toujours, les mains tremblantes, elle se retrouve désemparée, débordée, dépassée… Toujours, au bord de la nausée, elle doit convenir que la vie n'est pas telle qu'elle l'avait rêvée. Oui, elle s'est bercée d'illusions. Qui est naïve au point de croire en l'amour éternel ? Même pas la plus jeune des amarreuses, fille encore pubère et inculte qui travaille dans la canne. Toujours, la gorge serrée, Gisèle contemple la faillite de son mariage, ses rêves brisés, épars, jetés aux ordures, telles les pièces rares de son si beau service de porcelaine fine. Quel démon a-t-on envoyé à ses trousses ?

Elle est en colère et dans l'incapacité de renverser le cours des choses. Parfois, lorsqu'elle donne le bain à l'un de ses petits, ses pensées l'embarquent dans ce monde parfait où elle aurait pu exulter. Son esprit vagabond la mène loin du quotidien, loin de cette terre où il faut chaque jour courber l'échine, accepter son destin, faire contre mauvaise fortune bon cœur, se contenter d'à peu près. Alors, elle prend le large, oublie l'enfant au bain, le laisse tremper là manquant cent fois de se noyer. Elle n'entend pas ses cris, ne voit pas même ses gesticulations, ne s'inquiète de rien. Et quand elle revient de ces absences, elle s'étonne des regards hagards que lui lance sa voisine accourue auprès de l'enfant sauvé des eaux. Hébétée, les yeux d'une naufragée, Gisèle essuie les larmes du bambin et lui chantonne une berceuse pour calmer ses hoquets.

Les trois autres femmes ont porté des enfants aussi. Elles ont vu leur ventre s'arrondir doucement, calebasse miraculeuse. Ce temps de gloire est éphémère ; elles le savent, sont passées par là à leur tour. Sitôt l'enfant né, elles ont, de la même façon, connu le désarroi des jeunes mères. Pourtant, elles y ont survécu. Sans aller à aucune école, elles ont appris l'art de tenir une maison, soigner un nourrisson, élever la marmaille. Et multiplier les heures, diviser en dix parts égales une maigre pitance, soustraire trois sous à un homme pingre, additionner en silence les rebuffades, les coups, étreintes forcées, regrets embusqués... Chaque jour, elles ont composé avec la vie et amarré leurs reins pour affronter la destinée. Dans le secret de leurs pensées, elles se disent que Gisèle était sans doute plus fragile que la plus fragile des pièces de son beau service de porcelaine fine. Une petite tasse trop vite ébréchée, si facile à casser. Une tasse fêlée par on ne sait quel choc. Une tasse brisée en mille et un morceaux... Non, décidément, ce monde n'était pas fait pour Gisèle. Trop brutal, trop guerrier. Trop chargé de diktats et de désillusions...

Emportée par le chagrin.

Autrefois, leur confie-t-elle encore, j'ai été une reine dans le regard de mon mari. Les autres sourient en coin, hochant la tête. Elles aussi ont connu ce tournis des premiers temps qui ensorcelle. Elles s'en sont consolées.

Après la naissance du troisième enfant, sa taille de guêpe s'est empâtée et il la relègue au rang de mère, sans autre forme de procès. Seins fanés, ventre mol. La mère de ses enfants. Le temps est loin où, jeune épousée, elle virevoltait dans sa case, cuisinait et mettait le couvert en s'amusant. Temps béni où elle jouait à la Madame et câlinait son premier-né mieux qu'une poupée. Temps révolus où, extasié, il contemplait ses tétés dressés haut et les caressait sans fin. Désormais, elle ne veut plus qu'il la voie nue. Elle se trouve laide. Seins éboulés, ventre flétri. Et si lasse, la nuit venue. Lasse de tous les combats menés durant le jour. Il la prend quand même et elle se laisse faire. Il la prend comme si le temps avait englouti ses manières de gentilhomme. Il la prend contre son gré. Tu es ma femme, maugrée-t-il sourdement. Tu es ma femme ! J'ai le droit de te prendre comme je veux, quand je veux...

43

Elle ferme les yeux. Et les paroles de son mari font l'écho dans sa tête. Tu es ma femme… Tu es ma femme… Tu es ma femme… Résonnent de plus en plus faiblement. Tu es ma femme… Tu es ma femme… Tu es ma femme… Et des couplets amers se substituent à celui-là. Tu es mon esclave… Tu es ma propriété… Tu m'appartiens… Tu es ma jument… Tu es ma bourrique… Tu es ma chienne… Tu es mon costume du dimanche… Tu es mon gilet… Tu es ma lavallière… Tu es ma paire de souliers vernis… Elle est si lasse. Et terrorisée à l'idée qu'il lui plante encore une graine qui germera, donnera des bourgeons et fera un nouvel enfant. Elle ferme les yeux et serre les cuisses jusqu'à ce qu'il ait fini. Et quand, repu, il s'endort, le souffle lourd comme un qui sort d'un banquet, elle garde encore les paupières closes. Étendue à ses côtés, les bras le long du corps tel un gisant, elle s'interdit d'ouvrir les yeux. Est terrifiée par l'obscurité qui règne dans la case. Car ce petit échantillon de noirceur représente le monde dehors, ses tribulations, ténèbres et turpitudes. Elle s'était rêvé une vie immaculée, sans accroc ni bosse, et elle patauge dans les eaux noires de ses désillusions.

C'est à cette époque qu'elle a commencé à porter le chapeau. Afin de cacher sa figure, ne pas donner à voir sa déconfiture. Elle imagine que les gens perceront son secret s'ils surprennent son regard perdu dans ses yeux affadis. Elle est persuadée qu'un chapeau peut la soustraire à la vue des autres et, dans le même temps, la préserver de la vision des laideurs du monde. Certains matins légers, elle s'en coiffe juste pour parer les rais du soleil ou les gouttes de la pluie. D'autres fois, le rebord de son chapeau pend sur son visage tel un masque de carnaval ballotté par le vent. Elle se figure être un genre d'épouvantail. Elle est convaincue qu'elle peut repousser et même effrayer les gens et tous les drôles d'oiseaux. Le plus souvent, son chapeau est fiché sur sa tête comme un casque de soldat. Les rues du bourg sont un champ de mines planté d'arbres terrifiants. Dans les branches au feuillage dense, à la place des fruits, se trouvent des tireurs embusqués. Guerriers ennemis. Chasseurs de rêves… Gisèle trébuche dessous la mitraille hostile. Et toutes les paroles et regards qu'on jette à son passage la transpercent, la meurtrissent, la touchent au cœur… « Voyez donc cette aristocrate ! Elle salue personne. Elle se croit supérieure à nous autres avec ses souliers à boutons qu'elle chausse chaque jour de la semaine. Non, Madame la secrétaire de mairie n'est jamais entrée dans un champ de canne pour y arracher son pain. Las, ici-bas, faut jamais dire jamais… Il y a un temps pour monter et un temps pour descendre. Rappelez-vous sa famille qui régnait sur Goyave. Une boutique si tellement florissante, si bien achalandée… Un char de transport en commun qui allait pétaradant sur la route de Basse-Terre. Et puis, la ruine. Tout est parti en fumée… Jamais dire jamais… »

Amère, Daisy se souvient de cette ère d'abondance. Émile, le père, est géreur d'une habitation. Il a bien fait profiter son argent. Dans la commune de Goyave, il est le premier chabin à posséder une automobile. Au bourg, il acquiert une grande case flanquée d'une cour par-derrière. Sur la rue, la case fait boutique. Tous les nègres qui suent leur vie dans les champs de canne alentour y mendient un crédit. La mère tient un carnet de comptes. Chacun a droit à sa page. Une livre de farine, siouplaît, Man Félicie… Une roquille de rhum… Un quart de queue de cochon salé… Tu marques sur le cahier… Un setier de lentilles, une cuillère de sain-doux… Manman viendra te voir plus tard… La paye a été trop maigre cette semaine… Un demi-banneton, siouplaît-merci… Toute l'enfance de Daisy est égrenée de ces refrains plaintifs. Et puis, un jour, au bout de la rue, sur le même trottoir, une pimpante épicerie ouvre ses portes. Et Félicie voit disparaître ses clients les uns après les autres. En un petit moment, ses marchandises pourrissent. Les vers et les cha-rançons grouillent dans ses sacs de riz et pois. Un soir, elle allume un grand feu au mitan de la cour. Il y a un temps pour monter et un temps pour descendre, dit-elle à ses filles. Elle va chercher ses carnets de crédit et elle les jette dans le brasier, dessus un tas de feuilles sèches de l'arbre à pain.

Julia se gratte la tête avec sa branche. Elle revoit la bou-tique perchée sur le bord de la route, face à sa case. La bouti-que plantée haut sur une dalle de béton qui fait comme un promontoire. Son nom est inscrit sur une des pages du cahier de crédit de la Dame Louise. Certains matins, sans sel ni saindoux, elle se force à y aller, même à reculons. Si elle ne veut pas prendre une raclée, faut cuire le manger du bourreau. Elle n'a pas le choix. Il peut partir sans laisser un sou vaillant dans la case, mais son manger doit être paré, tout chaud, à son retour. Tête basse, Julia grimpe les douze marches qui mènent à la boutique. Elle a l'obligation de quémander, promettre un règlement imminent, une monnaie pour le lendemain. Et sous le regard défait de la Dame Louise qui, de l'autre côté de la route, entend chaque jour le bourreau rugissant assener ses coups, elle allonge sa main de mendiante et se sauve avec son butin, pareille à une voleuse, le dos rond, l'esprit inquiet. Julia a souvenir des jours où, s'en revenant du marché, elle compte fébrilement les piécettes rassemblées dans son mouchoir. Qu'est-ce qu'elle a vendu ? Cinq bâtons de caco doux, deux gousses de vanille, une livre de café, un lot de muscade… Elle reste longtemps à regarder son maigre argent, jusqu'à ce que ses yeux larmoient et qu'elle voie double. À compter et recompter ses trois sous, comme s'ils allaient se transformer en gros francs ou bien se multiplier.

Gisèle se renfrogne. Elle lisse le bord de son chapeau. Elle songe à ses enfants. Elle sait qu'après sa mort, le 9 mars de l'année 1949, Félicie se chargea d'élever ses deux fillettes orphelines, tandis qu'une tante paternelle recueillait son garçon.

Gisèle se souvient…

Quand elle avait été de ce monde, assise dans sa berceuse, Gisèle avait bien observé Félicie. Sa mère était d'une race solide qui ne ploie pas dessous les coups de boutoir. Ce genre de femme qui se relève de n'importe quel déboire, et serre les dents, ravale ses larmes, contre vents et tourments. De cette espèce de mères et grands-mères qui ont toujours, au fond d'une poche de tablier, un grand mouchoir blanc pour sécher les pleurs. Posée là, molle et mourante au mitan de la case, Gisèle regardait Félicie aller et venir, régenter et sévir, prier et maudire. Oui, c'est sûr, se disait-elle, cette femme saura donner de l'amour à mes enfants…

Elle s'en est bien occupée, confirme Daisy. Et puis, Maggy et moi, on l'a aidée…

Gisèle n'aurait pu faire mieux. Son passage sur terre lui avait enseigné que les créatures ne sont pas armées d'égale manière pour braver la déveine. Certaines endurent, mieux que d'autres, la ruine de leurs rêves et le déclin de leurs chairs. Elles acceptent les hauts et bas de l'existence. Se plient à la fatalité des jours sans pain et réapprennent à rire après le temps du deuil. Quoi qu'il arrive, elles ne cessent de louer le Seigneur, se consolant dans l'espérance d'un meilleur demain. Gisèle n'était pas une guerrière, non plus une résistante. Et c'est ainsi qu'elle s'en est allée, désarmée, paisible, sans regrets ni états d'âme, abandonnant la terre à ses valeureux combattants, à ses champs de bataille désolés. Non, personne n'aurait pu la retenir ou lui faire croire que cette existence était à sa mesure. Elle s'est éteinte, sans le moindre pincement au cœur, soulagée de quitter ce monde et d'échapper à ses tribulations.

Au jour de sa mort, il fallut arracher Gisèle à la berceuse, à croire que des racines invisibles et des branches adventices avaient, dans le cannage, lancé et noué leurs attaches autour d'elle. Certains jurent qu'elle souriait. Sa bouche dessinait une barque qui s'en va sur la mer. Ses yeux étaient restés ouverts, fixes, extatiques. On dut les lui fermer. Mais d'aucuns racontent qu'elle continua à voir, à travers ses paupières. Longtemps après que fut cloué le cercueil, les gens sentaient encore peser sur eux le regard de Gisèle. Bien sûr, ces choses ne se vérifient ni ne s'expliquent. Elles se répètent en aparté et vont comme la rumeur, enflant au gré des bouches.

Daisy se souvient... Depuis peu, elle travaille chez les Demoiselles Doute qui tiennent une mercerie au bourg de Capesterre. Daisy fait la couture, brode des nappes et des serviettes. Elle recouvre des boutons, dessous le babillage et les chamailleries des deux sœurs, vieilles filles qui n'ont connu de leur vie ni galant ni amant et vivent ensemble, au-dessus de la boutique, tel un vieux couple cent fois ravaudé. Daisy part tôt le matin, après avoir baigné et coiffé sa sœur. Maggy reste dans la case pour veiller les petits. Ce jour-là, Félicie est allée laver le linge à la rivière.

Daisy se souvient... Chaque midi, elle rejoint ses sœurs pour le déjeuner. Le jour de la mort de Gisèle, Daisy salue les Demoiselles Doute, leur lançant : « À plus tard ! Je serai là à deux heures », certaine de son fait, comme s'il n'y a pas un Dieu qui commande les heures et décide de votre existence. Elle ouvre son parasol au soleil. Le cœur léger, elle traverse le bourg. Elle s'en fiche que les gens la traitent d'aristocrate. Elle quittera bientôt cette île étriquée où les malfaisants intriguent dans la noirceur des cases. Elle se mariera avec un Monsieur civilisé qui lui fera connaître une autre vie. Elle rêve déjà d'aller en France. Gaillarde, au bras de son mari, elle se voit monter dans un de ces paquebots transatlantiques qui disparaissent derrière la ligne de l'horizon. Non, elle n'aura pas peur...

Daisy se souvient... Elle aperçoit la savane où deux bœufs sont amarrés. La case éreintée au bout de la rue. Les trois pieds d'hibiscus sur la véranda. Un pincement au cœur. L'odeur âcre de la mort à ses narines. Le nom de sa sœur coincé dans sa gorge. Des larmes inutiles sur son visage. Des pourquoi plein la tête. En vain, Daisy l'étreint. Elle la berce. La caresse. Elle la supplie de rester, de revenir, de ne pas partir. « Par pitié, ne nous abandonne pas. Je t'en prie, pense à tes enfants. Tes trois enfants. Pense à ta marmaille sans père. Tu n'as pas le droit de t'en aller si vite. » Et les mots se bousculent sur les lèvres de Daisy. « Tu étais presque guérie de ton chagrin. Quand je t'ai laissée ce matin, tu souriais. Je jure que tu souriais. Le médecin avait dit que tu te relèverais... Chagrin d'amour ne dure qu'un temps... Non, Gisèle, personne ne meurt d'amour dans la vraie vie. Tu n'es pas une de ces héroïnes de roman. Tu as ta vie à vivre... Tu as ta vie à vivre… » Après, Daisy s'adresse directement à Dieu. Mais Il ne répond pas. Tout comme Gisèle, Il garde le silence.

Au jour de sa mort, comme si des anges étaient venus la chercher, une grande lumière entra d'un coup dans la case. Oui, beaucoup s'en souviennent. De la poussière d'or flottait autour de son cadavre, dira-t-on plus tard. Et, surpris de voir voleter ces étranges particules, les gens réprimaient leurs sanglots et chuchotaient entre eux qu'elle était arrivée au ciel et qu'on l'avait revêtue d'une robe tissée de fils d'or. Une robe qu'elle avait secouée avant de l'enfiler.

Au jour de sa mort, la légende de la femme assise dans sa berceuse pour mourir de chagrin commença à courir les campagnes, à papillonner de case en case, des années durant. On disait qu'elle n'était pas vraiment partie. Certains soirs, une ombre diaphane se balançait dans la berceuse de Félicie. On assurait qu'elle veillait sur sa marmaille, soufflait sur leurs bobos, murmurait des mots doux au mitan d'un cauchemar. La nuit, jurait le voisinage, une femme à chapeau faisait les cent pas devant la case. Personne ne vit jamais son visage, mais chacun pouvait témoigner que c'était bien elle, Gisèle, la fille de Man Félicie. Les voisins avaient reconnu sa silhouette dans la noirceur. Ils s'étaient signés tout en marmonnant un « Je crois en Toi, mon Dieu ». Puis, ils avaient fermé leurs portes. En cette époque, sans réverbère ni électricité, ils avaient su que c'était elle. À ses gestes, elle semblait en colère, comme une qui a perdu son porte-monnaie et s'en vient le chercher parmi la rocaille et les herbes mauvaises. Prenant soin d'éteindre les bobèches et les lampes à pétrole, les pleutres se postaient au coin d'une fenêtre, et restaient longtemps à l'épier au travers des persiennes. Longtemps, attendant que leurs yeux s'usent et qu'elle s'évanouisse dans la nuit noire. Quelques-uns, insolents, avaient croisé son regard et ne s'en étaient pas remis. À croire que sa détresse les avait contaminés, ils erraient, âmes en peine, jusqu'au prochain carême. S'il pleuvait à la date anniversaire de sa mort, on affirmait que la pluie avait un goût de larmes. Les larmes salées de la femme emportée par le chagrin...

Emportée par le chagrin.

Quel chagrin ? demandent en chœur les autres, comme si elles ne connaissaient pas l'histoire dans son entier.

Chagrin d'amour...

Pourquoi t'es-tu laissée mourir ? soupire Daisy qui sait déjà qu'elle n'obtiendra pas de réponse.

Angélique et Julia la rabrouent du regard.

Chagrin d'amour, répète Gisèle. Je suis morte pour suivre mon amour...

Daisy hausse les épaules. Aucun homme, déclare-t-elle, ne vaut qu'on meure pour lui. Vraiment, Gisèle a la mémoire courte. Elle oublie tout ce qu'il lui a fait subir...

Tu n'aurais pas dû. Il n'en valait pas la peine, tempête Daisy. Tu aurais élevé tes enfants. Tu aurais fini par trouver un autre mari. Mais, non, tu as préféré te laisser mourir.

Gisèle se souvient encore... Le jour où les quatre nègres ont forcé la porte de sa case, elle sait déjà qu'il court d'autres conquêtes. Il rentre tard. D'où sort-il ? D'entre quels bras ? Il va au bal. Sans doute s'est-il trouvé une reine parmi ces femmes qui le convoitent à Vieux-Habitants. Elles grouillent aux alentours avec leurs pensées de fiel et leurs regards de miel. Non, Gisèle n'est pas aveugle. Depuis peu, il s'est entiché de politique. Il a des ambitions, veut occuper des fonctions à sa hauteur. Il se lotionne pour se rendre à des réunions qui lui mangent la moitié de la nuit. Et lorsqu'il rentre à tâtons dans la couche, son corps exhale des odeurs de poules parfumées, patchouli bon marché, eau de Cologne à dix sous, poudre de riz surie. Elle ne lui fait aucun reproche. Sa sœur aînée lui a assuré que, les premiers temps de leur mariage, les hommes sont des chiens fous qui battent la campagne. Ils ont besoin d'aller flairer sous les jupes des autres femmes. Ils montent, ils descendent. Puis un jour, queue basse, ils reviennent à la niche.

Dans les rues du bourg, les femmes que Gisèle croise la dévisagent drôlement, la gueule ourlée d'un sourire qui en dit long. Est-ce que tout cela est bien réel ? Est-ce qu'elle ne se fait pas toute seule son cinéma ? Elle a la certitude qu'on se gausse à son passage, qu'elle est la risée des gens. Sans parole, leurs yeux lui lancent des insanités. Aristocrate ! Son Altesse la mulâtresse sans caresses ! Elle leur prête aussi des pensées et des questions et des réponses... Où est ton époux, à cette heure ? Il fait la noce avec une donzelle bien pourvue. On connaît son nom. On les a vus aller ensemble, bras dessus, bras dessous… Aristocrate ! Tu croyais quoi, la belle ? Que la vie était un bol de crème caco doux ? C'est fini la comédie… Tu pensais que tu n'avais pas droit à ta part d'enfer… Y a pas que les nègres qui ont ce privilège… On t'avait avertie : y a un temps pour la gloire et un temps pour l'infortune… Faut pas chercher le paradis sur cette terre, même pas le purgatoire, tu rencontreras que l'enfer… Et, planquée dessous son chapeau, Gisèle titube en implorant le Bon Dieu de la faire entrer sous terre.

Au commencement de son mariage, elle avait planté des fleurs aux abords de sa case. Des espèces créoles qu'elle voulait égales aux fleurs peintes sur son service de porcelaine. Oiseaux de paradis, anthuriums et alpinias. Et puis des hibiscus, un pied de laurier-rose, quelques allamandas. C'était son jardin d'éden qu'elle chérissait autant que sa case et sa condition de belle épousée. Elle y passait du temps tous les après-midi, espérant son mari. Elle désherbait, taillait, binait, bouturait. Et les gens qui allaient sur la route, le coutelas sur l'épaule ou des marmots dans les jambes, se contentaient de hocher la tête, dépités, au spectacle de cette apprentie jardinière qui n'avait pas besoin de planter son manger pour survivre et fourrait ses mains dans la terre pour des fleurs inutiles. Y a un temps pour monter et un temps pour descendre…

Gisèle sourit au souvenir de son jardin d'antan. Mais son regard se voile aussitôt...

Quand les quatre nègres entrent dans la case, sans bonjour ni bonsoir, leurs yeux cherchent déjà où poser leur fardeau. Ils veulent s'en débarrasser comme d'un pestiféré. La laisser seule, désarmée, avec ce corps qui fait des soubresauts et ces râles terrifiants qui annoncent la mort. Du menton, elle montre la porte de sa chambre à coucher. Les quatre s'y engouffrent, pareils à des barbares, se heurtant au chambranle. Pétrifiée, elle les regarde jeter son mari sur le lit. Elle épluchait des ignames à leur arrivée. Elle tient le couteau à la main. La lame du couteau enfermée dans sa main. La lame affilée serrée dans la main. Est-ce qu'elle rêve, tout debout, plantée au milieu de son salon ? « Faut crier le docteur ! » fait l'un des hommes en ôtant son chapeau. Est-ce que c'est la réalité ? Elle a l'impression de flotter sur l'eau. Ils ont des gueules de croquemitaines, des habits de croque-morts... Carnaval est passé depuis longtemps... La voix qu'elle entend semble avoir traversé des épaisseurs cotonneuses avant d'atteindre ses oreilles. Est-ce qu'elle va se réveiller de ce cauchemar ? « Faut crier le docteur ! Misyé ka mo ! » répète l'homme qui fait le porte-parole. Elle n'est pas sourde. Elle est juste empêchée. Statufiée sur place. Elle n'est pas non plus aveugle. Elle voit soudain le plancher et cette tache rouge qui s'élargit au fur et à mesure à ses pieds. Du sang goutte de sa main. Elle s'est coupée. N'a rien senti. Comme dans un rêve...

Ils s'en sont allés. D'autres les ont remplacés. Des voisins. Une cousine. Une parente de son époux. D'un coup, il y a foule. Ça crie et ça pleure dans la case. Des inconnus se jettent sur elle. Ils l'embrassent, la serrent dans leurs bras, laissant une bave mousseuse sur ses joues. Ils geignent et leurs larmes semblent trop grasses, irréelles. Elle les voit s'agiter, trépigner et s'étreindre. Elle les entend implorer Dieu et médire. Oh ! Ces infâmes chuchotis, tous ces mensonges, tas d'immondices qu'ils osent déverser sous son toit. Elle voit le médecin sortir de la chambre. Elle le reconnaît à son binocle, à sa petite moustache déboisée, à sa sacoche de cuir fauve. Il lui tend la main pour des condoléances. Elle lui présente sa main droite, poissée de sang. « Faites un pansement à cette dame ! » lance-t-il à la cantonade. La femme qui vient la panser a des yeux de chat sauvage. Dans le panier de linge à repasser, elle trouve une couche blanche immaculée. La prend, sans demander. Elle plie la couche. Après, d'autorité, elle saisit la main de Gisèle. L'enveloppe dans le bandage de fortune. « Force et courage », souffle-t-elle en fermant l'épingle à nourrice. Mais qui sont ces gens ? Tous ces intrus… Que lui veulent-ils ? Où sont les enfants ?

Gisèle se souvient…

Elle a posé cette question : « Où sont mes enfants ? »

Sans doute sont-ce les derniers mots qu'elle a prononcés. Par un heureux hasard, les enfants ne sont pas à Vieux-Habitants mais à Capesterre, de l'autre côté de la Soufrière. Partis en changement d'air, chez Félicie, leur grand-mère.

Dieu soit loué ! Ils auraient pu surprendre des conversations. Celle-là racontant à cette autre que le bougre se trouvait à l'aise et même pas en caleçon dans la couche d'une femme qui en avait vu passer des eaux sous les ponts... Une créature, bréhaigne de surcroît, qui avait déjà fait la vie dans tous les sens et que les mâles avaient culbutée par-devant et derrière sans compter leurs coups... Une bourrelle, du genre dévergondé, qui avait une façon sangsue de se coller aux hommes. Elle les suçait jusqu'à l'os et, s'ils avaient cinq sous serrés à la banque, elle vous les ruinait en un tournemain... Une engeance de l'espèce infernale, diablesse du dernier jour... Assurément, ses baisers donnaient la mort...

Gisèle se tait.

Les autres ressassent en leurs cœurs des histoires où les esprits du Mal œuvrent sans pénitence. Tellement de vivants s'acoquinent avec Belzébuth, déplore Angélique qui a connu les temps de l'esclavage. Julia n'est pas allée à l'école, mais elle n'ignore rien de ces commerces entre les êtres et les démons. Daisy soupire. Elle a voyagé, vu du pays. Elle est d'une autre époque, moderne, pourtant elle sait que le monde est ainsi fait depuis le commencement, sans cesse écartelé entre Bien et Mal, et qu'on n'y pourra rien changer. Il faut juste prier Dieu pour échapper aux sorcelleries. Daisy ouvre son livre, le feuillette d'une manière désabusée. Tout comme sa sœur, elle n'est pas une femme de combat. La lecture lui donne le rêve, l'évasion, l'illusion. Elle ne croit plus en la paix ni en l'amour sur cette terre. Alors, elle se guérit de ses peines auprès des personnages qui vivent dans les pages de son livre. Elle existe à travers ses personnages d'encre et de papier.

Elle s'est longtemps balancée dans sa berceuse, sans boire ni manger, à se nourrir seulement des paroles sales qui cornaient à ses oreilles, l'empoisonnaient doucement. Que disaient-ils encore, tous ces gens qui avaient investi sa case, piétiné les fleurs de son jardin... Nègres à fables et paraboles... Bande de bonimenteurs ! La créature scélérate lui aurait offert un punch en préambule à leurs ébats. Elle avait jeté une cuillerée de sucre au fond du verre. Elle avait pressé le jus d'un quart de citron vert. Elle avait mêlé sa mixture à une pincée de poils de bambou. Elle avait ajouté le rhum. Une bonne rasade sûrement ; elle connaissait ses goûts. Gisèle imaginait la délurée toute frétillante pour l'aguicher, remuant les reins en même temps que la petite cuillère dans le fond du verre. Elle inventait les mots grivois qu'ils avaient échangés, tandis qu'il trempait ses lèvres dans le breuvage assassin. À force de naviguer dans les hautes sphères, Monsieur le secrétaire de mairie chérissait des ambitions, se voyait grand politicien. Gisèle avait droit à son credo chaque jour. Cependant, il s'était fait des ennemis. La créature était du camp adverse, répétait une voix sans visage. Quand il s'était étonné de voir tant de fibrilles au fond de son verre, elle avait rétorqué que ce n'était rien d'autre que de la poussière de canne. Il avait bu son poison, avait ôté son pantalon, s'était allongé, en caleçon, sur la couche adultère. En deux temps, trois

mouvements, les poils de bambou lui perforèrent les intes-
tins. Puis il commença à cracher du sang, à vomir son âme.
L'autre sortit dans la rue, héla au secours. Quatre nègres,
grands gaillards, qui s'en revenaient d'un enterrement, passaient par là. Presto, se faisant indiquer l'adresse de la légitime, ils rhabillèrent notre homme. Et c'est ainsi qu'ils
entrèrent dans la vie de Gisèle.

Le temps a passé, usant la mémoire, délavant les couleurs
du souvenir.

Emportée par le chagrin, c'est tout ce qu'ils peuvent
dire.

Dans la case de Félicie, les enfants ont grandi dans
l'énigme de la mort de leurs parents. Daisy s'est mariée à son
tour, avec un fier soldat qui s'en revenait de la guerre. En
1950, elle l'a rejoint en France sur un grand paquebot blanc
baptisé *Urania II*.

*Adieu, foulards, adieu, madras, adieu, soleil, adieu, colliers-
choux...*

Elle a porté des enfants. Trois filles et deux garçons. En
souvenir de Gisèle, dit-elle, mélancolique, j'ai donné son prénom à ma seconde fille.

Dans l'album de famille, Gisèle apparaît sur une seule
photo, le visage dans l'ombrage de son chapeau. Il faut croire
sur parole celles qui jurent qu'elle était la plus belle des sœurs.
Se contenter de cet unique cliché. Faire son deuil des reliques

qui n'ont pas subsisté. Se fabriquer une histoire avec si peu de pistes. Se revêtir de ce prénom chagrin. Inquiète, l'endosser tel un habit prêté. Et craindre à tout instant qu'on ne vienne vous le réclamer. Ajuster son corps et son âme à ce prénom si malaisé qui exhale l'odeur d'une défunte. Et puis, l'esprit tourmenté, se l'approprier, au fur et à mesure. Apprendre à entendre causer de la première du nom sans tressaillir. Se méprendre parfois et en rire, même si, toujours, le chagrin de la sœur défunte vous isole, vous étreint, vous accable.

Elle est toujours là, dans ma tête, à se balancer sur sa berceuse.

Mystérieuse Gisèle que le chagrin emporta.

Si grand chagrin.

Tant lourd prénom.

Julia

Lorsqu'elle arrive en ce lieu de relégation, armée de sa branche de goyavier, Julia se réjouit de sentir la terre sous ses pieds. Julia est une femme de la terre. Elle sait qu'elle est pétrie de cette terre noire, ainsi qu'il est dit dans les Écritures. Julia connaît la terre. Chaque jour de sa vie, elle l'a foulée et y a puisé son énergie. La terre est sa seconde mère, celle qui l'a tenue debout, parée à endurer tout ce que le destin dressait sur son chemin. Julia l'a tournée et retournée pour y enfouir graines, boutures, semis, rejetons de bananiers, plants de canne… Son existence durant, elle a vu la terre lui donner son manger. Elle lui en est reconnaissante et s'insurge contre les ingrats qui la souillent et la renient, comme ils renieraient leur mère.

Elle a eu un jardin, autrefois, sur les hauts de Capesterre...

Un bout de forêt, pour ainsi dire, hérissé d'arbres séculaires au pied desquels elle faisait ses plantations. Elle les a trouvés là quand le bourreau l'a mariée. Elle n'en a jamais coupé un seul. Même de ceux qui, vieillissants, ne portaient plus aucun fruit, même pas une maigre calebasse, une cabosse chétive, une orange amère.

Julia se souvient... Lorsqu'elle est à son labeur, accroupie au chevet de ses cives, fouillant racines manioc, ou bien cueillant grains de café, il faut forcer les yeux pour admettre qu'il se trouve une personne en ces lieux. Vrai, sa peau est couleur de la terre, pareille aux écorces sombres des grands bois. Si elle grimpe dans un arbre pour y cueillir des avocats, des prunes de Cythère, un fruit à pain, elle devient comme invisible, ou plutôt semblable à une branche. Combien de fois elle s'est cachée là pour échapper au fouet du bourreau ? Elle ne s'en souvient guère, mais elle le revoit, sondant le feuillage, sa chicote à la main, fou de rage, hélant son nom : Julia.

Dans les premiers temps, elle a tenté de creuser un trou dans le sol de terre battue de leur geôle. Elle y allait à mains nues. Elle s'en fichait d'ébrécher et de saloper ses ongles. Et tant pis si les trois autres la regardaient d'un air compassé, à croire qu'elle n'était qu'une demeurée. Julia était persuadée que la branche n'était pas morte et pouvait encore germer, produire de nouvelles tiges et donner des fruits. Jadis, elle avait sauvé des arbres que tous croyaient moribonds. On disait qu'elle possédait une connaissance occulte et avait l'art de guérir les arbres malades. Elle a toujours pris grand soin d'eux comme s'ils étaient de sa famille, de ses amis. À vrai dire, elle n'a jamais eu d'amis. Le bourreau lui interdisait de causer avec quiconque. Mais Julia était une habituée de la solitude. Avant lui, sa mère et sa grand-mère n'avaient cessé de la mettre en garde contre les mirages de l'amitié... Vous croyez que celle-là vous aime. Elle boit vos paroles sans sourciller. Vous pensez qu'un cœur sincère vous écoute. Vous jurez que c'est un ange tombé du ciel juste pour vous. Elle vous plaint si vous voyez la misère. Elle conseille et console et vous entrez dans un commerce de langues sans fin, empli de chuchus, de way ay ay ! et de rires complices. Vous ne lui demandez rien, mais elle pense à vous. Elle vous apporte un sucre à coco le matin, une cassave à midi, et le soir, peu après vêpres, elle vous agonit d'injures et traîne votre nom dans les dalots du bourg.

Parfois, seule au mitan de ses bois, Julia se dit qu'elle aurait quand même bien mérité d'avoir une bonne commère. Une de ces négresses modelées dans la même terre qu'elle et avec qui elle aurait brocanté trois mots sur la sécheresse du carême, les eaux chiches de la pluie, la raideur du soleil, les cauchemars du bourreau... Las, elle n'a que son jardin. Alors, certains jours, ceux qui passent sur le chemin l'entendent causer aux oiseaux dans le feuillage, à ses arbres silencieux, aux nuages moutonneux accrochés aux branches hautes. Les gens racontent qu'elle est folle. Folle d'avoir pris trop de coups.

À quoi bon la terre si on n'y peut rien planter ? se lamente Julia.

Pendant des jours, les autres durent supporter cette antienne. Accroupie dans son coin préféré, Gisèle rabattait sur ses oreilles les bords de son chapeau. Daisy plongeait le nez dans son livre, mais au lieu de former des mots, les petites lettres de l'alphabet se mêlaient étrangement, jusqu'à reprendre la complainte de Julia… À quoi bon la terre si on n'y peut rien planter ? Angélique inventa même une chansonnette qu'elle entonna un beau matin, tandis que Julia maugréait contre le manque de soleil. Si seulement il y avait une petite lucarne dans la geôle, pestait Julia, un rien du tout de lumière, une heure de grand jour. Sûr, la branche de goyavier aurait depuis longtemps poussé des feuilles, donné des fruits. Alors, croquant dans la chair rose des goyaves, les autres auraient cessé de rire et reconnu ses qualités.

À quoi bon la terre si on ne peut rien planter ? marmonne Julia.

Angélique chantonne…

Pas d'eau, pas de soleil
Ici la terre est bréhaigne
Je connais une femme sans cervelle
Elle voit des goyaves en rêve

Pas d'eau, pas de soleil
Ici tu trouveras pas de fontaine
Que des pleurs et de la peine
Julia voit des goyaves en rêve

Pas d'eau, pas de soleil
Ici l'amour, la haine, les chaînes
La vie est un combat sans trêve
Julia voit des goyaves en rêve...

Et puis, lasse d'entendre sa propre voix, Angélique se tait, secoue la tête, plie et replie la page de la *Gazette officielle de la Guadeloupe*. Ce mardi 31 mai 1831, son nom y est inscrit – Dame Angélique – au côté de son futur époux, Jean-Féréol Pineau. En ce jour béni, il est rapporté que, par arrêté du 17 mai 1831, le chevalier Du Lyon de Rochefort, procureur général du roi, accorde trente patentes de liberté. Il part pour la France. Dans sa générosité, il libère de l'esclavage les cinq enfants qu'elle a eus avec le Sieur Jean-Féréol.

C'est écrit noir sur blanc. Les autres femmes ont pu le vérifier. Même Julia qui ne sait pas lire a dû regarder par-dessus l'épaule de Gisèle, et hocher la tête d'un air pénétré. Est-ce qu'Angélique sait lire ? se demande Daisy, la toisant du coin de l'œil. Elle en doute. En ces temps reculés, on n'allait pas à l'école. Certain, Angélique a appris par cœur la page de la *Gazette*. Quelqu'un la lui a lue, jadis, et la page s'est imprimée dans sa mémoire. Angélique fait semblant de déchiffrer son feuillet, mais les mots se présentent parfois à la manière d'une récitation apprise à l'envers. Daisy sait lire. Elle aime lire comme elle aime chanter et danser.

Un jour, pour les autres, Dame Angélique demande à Daisy de lire toute la page à haute voix. Sous son regard inquiet, Daisy déplie le feuillet jauni avec délicatesse, à croire qu'il s'agit d'un manuscrit précieux. Daisy se racle la gorge, prend une inspiration. Il y a tellement peu de distractions dans cette chambre noire. Voilà une belle occasion de faire un peu de théâtre, se dit-elle. Les autres se sont tues. Elles sont suspendues à ses lèvres. Gisèle relève les bords de son chapeau, et puis elle décide de l'enlever. Elle le dépose à ses pieds et défait la longue natte que lui a tressée Daisy le matin même. Elle s'ébroue comme pour se débarrasser de son vieux chagrin. Elle sourit à Daisy, l'encourage du regard.

Arrêté du Gouverneur en Conseil, accordant trente Patentes de liberté, à l'occasion de son départ.

Basse-Terre, le 17 mai 1831

AU NOM DU ROI

Nous, Gouverneur de l'île de la Guadeloupe et de ses Dépendances.

Vu l'article 30, 2ᵉ paragraphe de l'ordonnance royale du 9 février 1827 ;

Sur le rapport du Procureur général du Roi ;

De l'avis du Conseil privé,
Avons arrêté et arrêtons ce qui suit :
Article premier.

Il est accordé, à l'occasion de notre départ pour la France, trente Patentes de liberté, aux individus nommés dans l'état joint au présent arrêté, lesquelles seront délivrées gratuitement, sauf la redevance en faveur du bureau des pauvres.

Le Procureur général du Roi est chargé de l'exécution du présent Arrêté, qui sera enregistré partout où besoin sera, et inséré au Bulletin des Actes administratifs de la Colonie.

Donné en l'Hôtel du Gouvernement, à la Basse-Terre Guadeloupe, le 17 mai 1831.

Baron Vatable.

Par le Gouverneur en Conseil :
Le Procureur général du Roi, p. i.
Le Chevalier Du Lyon de Rochefort.

Daisy hausse un sourcil, puis reprend sa lecture.

État des individus auxquels l'affranchissement est accordé par le présent Arrêté.

– Pélagie, mulâtresse, âgée de 37 ans, de la Pointe-à-Pitre ; demandée par le sieur Léon, son maître, pour l'épouser.

– Lindor, ou Alcindor, nègre âgé de 51 ans et

– Jacques, nègre, tous deux de la Basse-Terre ; demandée par le sieur Sanchez, exécuteur testamentaire du sieur Nicolas Pereyra.

– Virginie, mulâtresse, âgée de 24 ans,

– Colbert, mulâtre, âgé de 23 ans,

– Féréol, mulâtre, âgé de 22 ans,

– Zénon, mulâtre, âgé de 9 ans, et

– Célanire, mulâtresse, âgée de 8 ans, tous les cinq de la Basse-Terre, frères et sœurs ; demandée par le sieur Jean-Féréol Pineau, leur père, et par Dame Angélique leur mère, accordée sur la recommandation de M. le Chevalier Du Lyon de Rochefort, Procureur général du Roi.

Daisy n'a pu s'arrêter aux seuls Pineau. Elle a continué à lire, à égrener les noms. Tous ces noms. Une liste de prénoms. Des personnes fantômes qui remontaient de l'antan, prenaient corps et chair et visages.

– Pierre, nègre, âgé de 22 ans, de la Pointe-à-Pitre ; demandée par la dame Fidèle sa mère.

– Jean-Baptiste dit Tétis, nègre, âgé de 39 ans, du Vieux-Fort ; demandée par la dame veuve Desormaux.

– Félicie, mulâtresse du Moule ; demandée par le sieur Adolphe Cicéron.

– Louise dite Elvina, mulâtresse, âgée de 8 ans, et

– Adélaïde, sa sœur mulâtresse, âgée de 4 ans ; toutes deux de la Pointe-Noire ; demandée par le sieur Louis Gosse.

– Manette, mulâtresse, âgée de 51 ans, de la Basse-Terre, et

– Crâne Charles, son fils ; demandée par le sieur Beauvallon, commandant des quartiers réunis.

– *François Fifi, mulâtre, âgé de 30 ans, du Gosier ; demandée par la dame Radegonde, sa mère.*

– *Saint-Félix, nègre, âgé de 43 ans, de la Pointe-à-Pitre ; demandée par la dame Raymond, sa mère.*

– *Elisabeth Cécé, capresse, âgée de 14 ans, de la Pointe-à-Pitre ; demandée par mademoiselle Francillette dite Cocotte.*

– *Marie Xaintes, capresse, âgée de 38 ans, de la Basse-Terre ; demandée par le sieur Souque et accordée sur la recommandation de M. Du Lyon.*

– *Marie-Marguerite dite Fantine, métisse, âgée de 22 ans, et*

– *Marie-Thérèse dite Majouloute, métisse, âgée de 21 ans, de la Basse-Terre ; demandée par mademoiselle Varin, et accordée sur la recommandation de M. Jules Billecocq, directeur général de l'intérieur.*

– *Marie-Angelle, négresse, âgée de 38 ans, de la Basse-Terre ; demandée par elle-même, accordée sur la recommandation de M. Du Lyon de Rochefort.*

– *Adèle, mulâtresse, âgée de 25 ans, du Lamentin ; demandée par M. Rides, commandant dudit quartier.*

– *Clara, mulâtresse, âgée de 25 ans, de la Pointe-à-Pitre ; demandée par demoiselle Adélaïde dite Chéry Durand.*

– *Jean-Charles dit Duchesne, âgé de 25 ans, de la Pointe-à-Pitre ; demandée par demoiselle Euphrasie dite Assez.*

– *Marie-Françoise, âgée de 25 ans, de Sainte-Anne ; demandée par demoiselle Marie-Adrienne sa mère, et accordée sur la recommandation de M. Couppé de Lahongrai, commandant du quartier.*

– Jean-Baptiste, âgé de 10 ans, du Vieux-Fort l'Olive ; demandée par le sieur Jean Michineau, sur la recommandation de M. Mercier.

– Pamphile, nègre, du Baillif ; demandée par M. Ledentu père, conseiller colonial.

– Magdelaine, négresse, de Saint-Martin ; demandée par M. Aurange, commandant militaire.

– Marie-Elisabeth, mulâtresse, âgée de 21 ans, de la Pointe-Noire ; demandée par mademoiselle Adélaïde Cani, sa tante, sur la recommandation de M. Aubin, conseiller colonial.

D'un coup, ils sont là, vivants, avec elles dans la geôle sans fenêtre. Trente hommes, femmes et enfants, étonnés d'avoir pu traverser si aisément les ans. Sans acte de naissance ni papiers notariés, les quatre femmes les savent de leur parentèle. Bon gré mal gré, elles ont hérité de cette histoire meurtrie. L'un ou l'autre de leurs ancêtres a connu la traite, la cale du bateau négrier, la vente sur les marchés, l'esclavage… Elles sont leurs descendantes.

Les sens tout remués, Daisy replie la page. Elle la rend vite à Angélique. Tandis que les autres regardent ailleurs, perdues dans leurs pensées, Daisy essuie ses doigts dans l'ourlet de sa robe. Arrivée au vingtième nom, nauséeuse, elle a eu envie d'arrêter la lecture de cette liste monotone, mais une voix en elle l'exhortait à poursuivre. Le papier lui brûlait les doigts, lui poissait le pouce. Vieux papier gras, sale et poussiéreux. Et il n'y avait même pas un filet d'eau qui gouttait quelque part pour qu'elle puisse se laver les mains. Elle sentait qu'elle pouvait pleurer, sans bien savoir pourquoi. Pleurer de honte, parce qu'elle venait de cette histoire-là, sale et poisseuse et poussiéreuse. Pleurer cette parenté abandonnée qu'elle avait reniée tout au fond de son cœur. Pleurer sur ce passé qu'elle avait invoqué bien malgré elle. Juste pour faire plaisir à Angélique, lui montrer l'art de la lecture. Elle, Daisy, savait lire. Elle avait commencé à énumérer ces noms de l'antan. D'abord, d'une voix monocorde, maîtrisée. Comme elle aurait lu une liste de commissions, en route vers le marché. Orange, mandarine, avocat, poireau, courgette, giraumon, igname, malanga, chou, cive, ananas, tomate… Adèle, Clara, Jean-Charles, Marie-Françoise, Jean-Baptiste, Pamphile… Mais, soudain, des ombres furtives avaient surgi d'entre les mots. Et puis, derrière les lettres et l'encre noire, les traits s'étaient précisés sur les visages. Nègres, mulâtresses, capresses, métisses… Pauvres, ils étaient de tous âges : 43, 51, 25, 14, 8, 38, 10, 4… 4 ans...

Ils sont là. Ils ont pris corps, se sont incarnés. Trente hommes, femmes et enfants qui ont, sur recommandation d'untel ou unetelle, mendié leur liberté, gagné leur liberté.

Julia se souvient… Négrillonne, elle passe du temps auprès de sa grand-mère pendant que sa mère, Elvire, est occupée à coudre pour les autres. À peine six ans et Julia apprend déjà à cuire le manger, à cueillir les grains de café et à grager le manioc. Faut pas jouer. Seulement travailler. La

71

vieille femme la menace. Elle jure que, si Julia fait des bêtises, l'esclavage reviendra, juste pour elle, Julia Roman. C'était quoi l'esclavage ? demande la fillette. C'était le temps où les nègres n'étaient pas du genre humain, jette la grand-mère. Le temps maudit. Le temps où les chiens étaient dressés pour mordre dans notre chair. Le temps du fouet, des jarrets tranchés, de la pimentade et de la fleur de lys. Le temps impie de nos pères. Crois-moi, Julia, si tu n'es pas sage, ce temps peut revenir à n'importe quel moment. En 1802, une première abolition avait été votée. Ivres de leur liberté, les nègres y avaient cru de toute leur âme. Ils avaient fui les habitations et couru fous, droit devant eux. Certains avaient même rêvé d'un retour au pays des ancêtres. L'Afrique… l'Afrique d'où on les avait arrachés. Ils s'étiolaient par grappes le long du rivage. Passaient des jours là, scrutant la mer, à croire qu'ils espéraient un bateau. Las, les voiles filaient à l'horizon et n'avaient que faire de leurs illusions. Attends, pendant ce temps, les maîtres étaient pas restés bras croisés. Ils remuaient ciel et terre et criaient qu'ils voyaient les quatre yeux de la misère sur leurs habitations sans nègres. Ils disaient que cette nouvelle loi était pas chrétienne et qu'on les étripait en les privant de leurs cheptels. Il y avait tous ces champs de canne laissés en friche, toute cette richesse perdue. Vrai, on les égorgeait. On les ruinait. On les démembrait… Ils ont pleuré tant et plus, jurant que les nègres étaient d'une race sauvage qui ne comprenait que la langue du fouet. Des bêtes féroces qu'il fallait domestiquer… Alors, en France, loin, loin, de l'autre côté de la mer, des hommes puissants les ont entendus. Ils ont ordonné le rétablissement de l'esclavage. Aujourd'hui, les nègres hèlent à tous les vents qu'ils sont gens libres depuis 1848. Qui vivra verra... Dieu seul sait si ce temps de maudition ne reviendra pas... Faut prier le Seigneur, Julia.

Personne n'a applaudi la lecture de Daisy. Chacune est prisonnière de ses pensées. Et les trente auxquels on a accordé les patentes de liberté tournent et virent dans la geôle noire, âmes en peine, hébétés. Pourquoi donc les a-t-on convoqués ? Chacune peut les voir. Chacune entend leurs voix qui enflent entre les quatre murs. Les enfants d'Angélique font cercle autour de leur mère qui sourit aux anges et les contemple comme ses plus belles victoires. Gisèle a remis son chapeau. Sans doute croit-elle être redevenue invisible. Mais le nègre Pamphile s'intéresse à elle. Il soulève le bord du chapeau, cherche à voir les yeux de la belle. Il la dévisage et grigne, d'un sourire édenté. Marie-Angelle, Clara et Adèle ont tracé une marelle sur le sol de terre battue. Elles sautent de case en case et tombent à pieds joints dans le ciel. Et elles chantent la liberté. Le ciel de la liberté. La femme dite Majouloute rit et pleure en caressant le visage de Julia. Qui sait si Julia n'est pas son arrière-petite-fille ? La négresse Magdelaine de Saint-Martin s'est saisie du livre de Daisy. La mine contrite, elle le feuillette, tentant de reconnaître des lettres qu'elle a vues jadis, inscrites sur les cahiers d'école de l'enfant de son maître,

M. Aurange, commandant militaire. Les autres inspectent les lieux, causant entre eux dans une langue d'autrefois d'où surgissent des mots de vieux français accolés au créole d'antan. Ils se souviennent. Ils ont été esclaves, et puis affranchis, libres de couleur. Dix-sept années après qu'ils eurent obtenu les miraculeuses patentes, l'esclavage a été aboli dans toute la colonie. Aboli sur le papier, chuchote le nègre Lindor en grimaçant. Il rit, se gratte la tête. Il rit au souvenir de cette parodie d'abolition. Il rit, la bouche grande ouverte. Ses chicots bringuebalent sur ses gencives roses. Il rit à gorge déployée. Et dans la geôle, ils sont trente libres de couleur à rire de leur candeur et de la rouerie des maîtres. Quand son rire vacille soudain, comme fauché sec d'un coup de coutelas, il marmonne des paroles qui s'écorchent aux poils durs de sa barbe. Il pleure des larmes d'homme vaincu. Aboli sur le papier, enchaîne Manette, songeant à ce qu'elle a enduré avant que le Sieur Beauvallon lui accorde sa fichue patente. Aboli sur le papier, répète-t-elle, mais la misère est demeurée le lot de la négraille. On n'avait pas une branche d'espoir à laquelle s'accrocher. Ce pays Guadeloupe, on l'avait en horreur et fallait pourtant y planter nos racines et attendre voir quels fruits la terre allait produire. Aboli sur le papier… Et après ? On nous a déposés là, tout bonnement, dans une liberté sans pied ni tête. Et on devait oublier d'un coup qu'on nous avait bannis du genre humain… Juste pour du sucre… Avec leurs lois et tous leurs codes sur papier, ils nous ont bien couillonnés, pas vrai… Manette pousse un soupir. Juste pour du sucre… Et le Bon Dieu a laissé faire, juste pour du sucre…. Il aurait dû commander au ciel un nouveau déluge… Ô Dieu Tout-Puissant ! Tu aurais pu nous épargner… Sa voix s'étiole, puis s'éteint. Alors, aussi mystérieusement qu'elles étaient apparues, les créatures s'effacent au fur et à mesure, disparaissent.

Le silence pèse de nouveau dans la geôle. De la même façon que la Dame Manette, Julia se défie des écritures. Mâchonnant sa branche, elle observe Daisy d'un œil suspicieux. Celle-là sourit aux mots couchés sur la page de son livre. Elle l'a ouvert au hasard, ne sachant que faire de ses mains, ne sachant où poser son regard. Elle a lu tant d'histoires. Avec ses héroïnes, elle a souffert dans chaque roman d'amour. Elle en a escorté plus d'une dans des chemins de perdition. Elle en a vu se fourvoyer dans les bras d'un méchant amant. Elle a partagé les sauts de cœur, les pleurs, les fins glorieuses. Daisy connaît la vie grâce aux romans. Nulle part ailleurs, elle n'a rencontré de si belles personnes. Jamais son existence ne lui a fait vivre d'aussi grandes aventures. Et pourtant, elle en a vu, du pays. Elle en a traversé, des mers. Elle ne peut compter le nombre de fois où elle est montée dans un avion et, le nez collé à son hublot, elle a suivi la course des nuages. Sa vie durant, elle n'a cessé de voyager et elle continue, aujourd'hui encore, à soixante-quinze ans passés, à rêver d'une croisière au fil du Nil, d'un safari en Tanzanie, d'une escapade au Canada. Il lui tarde de quitter la geôle, de reprendre le cours de sa vie, loin, très loin de ces femmes amarrées au passé.

En septembre de l'année 1950, au lendemain de son mariage avec son militaire, Daisy embarque sur *Urania II*, l'un de ces gros paquebots blancs transatlantiques. Mariée en avril, elle est une jeune Madame avec alliance à l'annulaire gauche. *Adieu, foulards, adieu, madras, adieu, soleil, adieu, colliers-choux...* Seule sur le pont, accoudée au bastingage, elle regarde disparaître l'île Guadeloupe, son enfance à Sainte-Claire, les champs de canne, le babillage des demoiselles de la mercerie, le corps mol de Gisèle ratatinée sur sa berceuse. Elle part pour France, pays béni où chacun marche sur le macadam chaussé de souliers neufs. France, pays des quatre saisons, des pommes rouges et des flocons de neige. Oui, elle en a fini avec le soleil raide et les temps de cyclones, la sauvagerie, la sorcellerie, la jalousie. *Adieu, foulards, adieu, madras, adieu, soleil, adieu, colliers-choux...* Et là-bas, elle va construire sa vie. Une vie de roman.

Elle s'appelle Julia. Julia Andrésine Roman. Elle est née le jeudi 3 février 1898 dans la case de sa mère. Fille naturelle, elle porte le nom de sa mère. Roman. Elvire Roman née en 1865, âgée de trente-trois ans en 1898, domiciliée au hameau de Routhiers, est déclarée couturière sur les vieux registres de l'état civil consultés en la mairie de Capesterre Belle-Eau.

Roman. Julia porte le nom de sa mère. C'est drôle de porter un nom pareil quand on ne sait pas lire. Un après-midi, Julia a demandé à Daisy de lui raconter ce qu'il y avait dans son livre. Daisy a répondu que c'était un roman, un roman d'amour. Elle n'a pas donné d'autres explications. Et Julia a dû se contenter de cet os sans moelle à ronger. Le mystère est demeuré entier.

Elle s'appelle Roman, Julia Roman. D'où vient ce nom ? Sans doute de ces messieurs de l'état civil qui avaient pour fonction de nommer les nègres au lendemain de l'abolition de 1848. Lorsqu'elle était enfant, sa grand-mère lui raconta de quelle façon les anciens esclaves avaient hérité de ces noms tirés de la mythologie grecque, d'un dictionnaire de secours, d'un almanach ou d'un précis de zoologie. Des noms à rire et à pleurer. Des noms inventés aussi dans l'ennui et la dérision, dans les vapeurs du tafia et l'envie pressante d'en finir avec ces troupeaux de nègres impatients qui attendaient qu'on les déclare dans le genre humain, qu'on leur donne une nouvelle naissance, un baptême. Des noms anagrammes, sobriquets, colifichets, verrues, injures, blasphèmes. Des noms d'astres dépendus du ciel, des noms de poissons pêchés dans la mer, des noms bibliques empruntés aux anges du Mal. Des noms alambiqués, emberlificotés, estropiés, auxquels il faudrait apprendre à répondre. Et à revêtir comme des habits que les maîtres vous ont cédés. Un costume trois pièces, une robe de taffetas encombrée de jupons que vous décrochez que le dimanche et qui garde, emprisonnée dans sa toile, l'odeur d'un autre, l'odeur de l'aumône. Apprendre, d'un même balancé, à se nommer ainsi devant l'Éternel, et couper les vieilles racines du temps jadis. Oublier qu'ailleurs, en Afrique, croissent les branches de la famille perdue. Porter ce nom, vaille que vaille. Le transmettre, tel un flambeau, à sa descendance. Et relever la tête, se redresser sous le poids de ce nom, assuré qu'il est une victoire gagnée sur l'abomination, même s'il résonne comme un tambour percé, un bêlement de bouquetin, un anathème, un tocsin, un cri d'orfraie dans la nuit.

Un roman, qu'est-ce que c'est ? À quoi ça peut bien servir ? Est-ce que ça fait des feuilles et des fruits ? Pourquoi Daisy gâche-t-elle ses yeux dans cette lecture sans fin ? Lecture inutile et stérile… Durant sa vie, Julia a toujours tenu le temps pour un bien très précieux. Quand elle habitait en France, chez son fils militaire, elle observait sa bru. À la voir, on eût dit que Daisy s'abîmait dans ses livres chéris, perdant la notion du temps, n'éprouvant ni la faim ni la soif. Au sortir de ses lectures, elle semblait toujours revenir de quelque pays lointain, hagarde, déboussolée. Et si vous lui adressiez la parole, elle vous regardait fixement, tardant à vous répondre, comme s'il lui pesait de quitter le monde où les personnages de son livre l'avaient entraînée. Julia secouait la tête, se disant que sa belle-fille pouvait faire meilleur usage de toutes ces heures perdues. Laver et repasser, cuisiner et récurer, écosser des pois, écailler le poisson, rapiécer des vêtements... Son livre, le livre qu'elle a emporté dans la geôle, Daisy l'a déjà lu cent fois, à croire qu'un trésor est enfoui là, dans ces quantités de mots, caché dedans les nids de lettres qui fourmillent sur les pages du roman d'amour.

Nous sommes en janvier 1917.

Roman. Elle répète deux fois son nom au mulâtre qui fait le garde champêtre sur la plantation. Coiffé d'un casque colonial si blanc qu'aveuglant, il la toise du haut de son mulet. Le Sieur, fraîchement embauché, est chargé de mettre à l'enclos les bêtes sans maître qui drivent dans la cannaie, piétinant les jeunes pousses, se bâfrant tant et plus des tiges prometteuses. Cabris égarés, ânes errants, bœufs ravagés de tiques, cochons maigres... Ceux qui, plus tard, viennent les réclamer comme leur bien payent une amende. Y a pas à discuter la loi ! Faut respecter la loi et amarrer vos animaux ! tempête M. Pineau. Les nègres doivent comprendre que les lois sont pas faites pour les chiens. On ne transige pas avec la loi. Je suis le représentant de la loi, assène-t-il en réajustant son casque. Je fais juste mon travail et, si vous réglez pas votre dû, je vous rends pas votre bestiau. Tout le monde l'appelle Misyè Pineau et y a pas moyen de soudoyer ce bougre-là. Il a pas de pitié et que ce mot en bouche : la loi, la loi, la loi... Et puis aussi la discipline qu'on lui a enseignée à l'armée. Chacun le craint, la faute à ses yeux verts qui ont vu la guerre des tranchées, là-bas, en France.

Démobilisé pour cause de blessure à la tête, l'homme est depuis peu rentré au pays. Julia a dix-neuf ans à peine. Elle ne sait pas alors que le bellâtre la mariera quelques mois plus tard, deviendra son bourreau. Quand il jette un regard sur sa petite personne, elle ne comprend pas. Qu'est-ce qu'un mulâtre peut faire d'une négresse plus noire que la terre, sinon la renverser au bord d'un champ de canne, lui planter son outil entre les cuisses et l'engrosser en deux temps, trois mouvements. Tel l'écho, il redit son nom, deux fois, Roman... Roman... Il plisse les yeux et sourit, dévoilant ses dents de loup. Une mouche bleue se pose sur sa figure. Il la chasse à coups de jurons. Puis il rit. Elle rit avec lui. Le mulet piaffe, défèque et pile leurs rires sous ses sabots. Julia rit encore, mais Misyè Pineau ne rit plus. Le visage fermé, il se redresse sur sa monture. Et soudain, sans un au revoir, il détale au galop sur la sente qui fend les champs de canne, s'en va traquer quelque animal esseulé. Il a disparu. Toute la journée, tandis qu'elle amarre les cannes et avance derrière le coupeur, Julia croit entendre son rire, ici et là. Croit apercevoir le casque colonial et la crinière grise du mulet. Croit que son cœur est épris parce qu'il bat et tressaute plus vite que de coutume.

Julia ne s'est pas méfiée de ce M. Pineau. Elle aurait dû pourtant. Las, jamais elle ne prête l'oreille aux ragots qui courent parmi les travailleurs. Histoires à vingt-cinq épisodes et trois cents rallonges sur les donzelles abandonnées grosses qui jurent que seul le Saint-Esprit les a visitées. Tromperies et macaqueries de négros coqueurs, trousseurs de jupons, défloreurs de vierges immaculées. Propos rapportés, déformés, ensorcelés, diabolisés qui font le bonheur des bouches à la pause de dix heures. Et faut même pas parler des cancans nés d'une petite fumée de rumeur et qui embrasent les esprits et les langues le temps d'une matinée. Julia ne se mêle pas. S'en fiche de ne pas connaître le nom d'untel qui a engrossé untelle. N'a pas envie de gâcher sa salive dans ces causeries qui ne mènent nulle part, sinon à la ferme conviction qu'on n'est pas les plus mal lotis et qu'il s'en trouve toujours d'autres qui en bavent plus que vous. Vrai, ça leur met du baume au cœur de médire sur les gens en déveine. Ça les réconforte de ressasser des contes où les héros pataugent dans la baille du Démon. Ils ricanent, faisant ripaille de récits salaces, se tapant les cuisses, le corps agité de rires gras. Et les hommes boivent du rhum qui les rend hardis, le temps d'une rasade. Et puis ils frappent leurs tambours, lançant des œillades aux femmes. Et ils braillent, grandes gueules, bombant le torse comme s'ils étaient invincibles, plus forts que la fatalité, rocs dans l'adversité. Dieux déchus des cannaies, faut les voir bander leurs muscles et défier le soleil, les pluies et les gros vents, la destinée fatale et les désillusions. Mais il est facile de comprendre que tout ce tintamarre n'est qu'esbroufe censée repousser la peur et les ailes du malheur. Oui, en vérité, ils ont peur. Et ils rient tant qu'ils ont du souffle. Rire gratis, c'est tout ce qui leur reste, en attendant demain, les jours du malheur, un méchant cyclone, un ventre à crédit, une femme adultère, un époux volage, des enfants voleurs, infirmes, bambocheurs, acolytes du Diable...

À l'heure du déjeuner, Julia se pose toujours à l'écart, seule. Elle choisit l'arbre à l'ombre qu'il jette sur un carré de terre et, adossée là, elle observe les travailleurs, buvant à petits traits l'eau de sa gourde, mâchouillant sa galette de manioc et son pavé de fruit à pain arrosé d'huile. Elle les entend babiller mais ne les écoute pas. Son esprit est occupé à répertorier les tâches qui l'espèrent dans le jardin de sa mère. Elvire coud tout le long du jour. Julia n'a pas appris la couture. Elle n'a jamais eu goût pour ces histoires de fils emmêlés, grands ciseaux et toiles à découper. Le jardin est son univers. Sarcler, biner, tailler, marcotter… Elle songe aussi aux grains de café qu'elle a mis à sécher, aux cabosses de cacao qui arrivent bientôt à maturité, à ses gousses de vanille qu'elle pouponne. Et elle voit le linge qu'elle ira laver à la rivière au bout de l'après-midi, et les gombos qu'elle fera revenir avec la queue de cochon salée qu'elle a débitée et mise à tremper au petit matin.

Le jour où elle donne son nom à ce M. Pineau, Julia manque d'appétit, n'a pas non plus soif de l'eau fraîche de sa gourde. Et pourtant, talonnant de près l'ouvrier coupeur, elle a, dans la matinée, abattu plus de travail qu'à l'ordinaire. Mieux qu'une machine agricole, ses bras ramassaient, assemblaient et liaient d'une volée les cannes jonchant le sol. Elle ne commandait pas son corps, ne sentait pas la brûlure du soleil à ses reins. Elle se baissait, ramassait, attachait, se relevait, avançait de cinq pas, recommençait. Les mêmes gestes. Cent, trois cents fois répétés. Le dos meurtri, le cou cassé, les doigts gourds. Ramasser, attacher, se relever, l'esprit empli de questions. Pourquoi le garde champêtre lui a-t-il demandé son nom ? Qu'en fera-t-il ? En quel honneur, tous ces grands rires ? Pour quelle raison l'a-t-il accostée, lui qui ne se mêle jamais aux travailleurs ? A-t-il une femme, des enfants, une famille ? Les rares fois où Julia l'a croisé sur sa route, il va seul, perché sur son mulet. Martial tel un colonel de l'armée française. Un solitaire comme moi-même, se dit-elle.

Les femmes qui ont élevé Julia lui ont enseigné la solitude et la soumission au Dieu Travail. L'école, c'est pas pour toi, Julia. Tu vois bien, ta tête est trop raide. Tu sais même pas enfiler une aiguille. Tu sauras jamais lire ni écrire. Mais tu pourras te débrouiller quand même. Y a le jardin qui t'espère, Julia. Ça servira à rien de gâcher tes jours à lambiner sur les bancs de l'école, à babiller avec unetelle et unetelle. Dis-moi qui nourrira le cochon, les poules et le lapin ? C'est pas ta grand-mère, elle a plus l'âge à ça. Qui cueillera le café, les prunes Cythère, les oranges et les avocats ? Moi, avec mes coutures, j'ai pas le temps de grimper aux arbres. Y a que toi qui sais. De toute façon, ces comédies d'écriture sont pas à ta mesure. Nous-mêmes sommes pas allées à grande école et ça nous a pas empêchées de compter les sous à l'étal du marché. Tu sais bien que ta tête est vide, Julia. Ta petite cabè-che est une calebasse fendue. Mais, c'est sûr, t'es pas une fai-néantiseuse. Vrai, t'es taillée pour entrer dans les champs de canne et les bananeraies. T'as pas peur du travail au jardin, hein ! Et t'aime pas trop te frotter aux autres, à ces bourrelles qui pensent qu'au vice, Julia. T'as bien raison… Tu récolteras que des soucis, de la jalousie, de la méchanceté et pas un brin d'espérance…

Pardon pour l'offense, mais il faut maintenant notifier que l'homme sur son mulet a sale réputation. Julia l'ignore. À l'abri de son regard, derrière les cannes hautes, on dégoise à toute vapeur sur son compte. Paraît qu'il trousse en douce les petites amarreuses pubères à tire-larigot. Et que dire des enfants sans père qu'il a semés à gauche et à droite, sans se retourner ? Quant à sa cruauté, elle est déjà légendaire. On rapporte que, dans une autre vie, il a enjambé la mer pour voler au secours de la Mère Patrie. Il a combattu dans des guerres sans dieu ni manman. Des guerres où il a dû user de son fusil à mille et une reprises. Des guerres où les nègres ser-vaient de chair à canon. Là-bas, il a respiré des gaz pas catho-liques et il s'en est revenu plus fou que la folie, la tête encombrée d'une balle qu'on n'a pas pu lui retirer. De son voyage, il a aussi rapporté des médailles et des galons de héros, des bandes molletières, un costume de soldat, une vieille pétoire, une malle en fer et des cauchemars qui le retournent chaque nuit dans les tranchées gelées de la guerre. Julia ignore tout cela.

Combien de jeunes Antillais sont partis avec lui ? Dans cette Première Guerre mondiale, on avance le nombre de 25 000... 25 000 créoles incorporés dans les armées de la République et débarqués en Europe pour reprendre l'Alsace et la Lorraine aux Allemands. Ainsi que les nombreuses troupes venues des quatre coins de l'empire colonial, ils participèrent à tous les combats, à chaque offensive... On les vit, soldats valeureux, dans la bataille de la Marne en 1914. On les vit en Artois, en Champagne et dans les Dardanelles tout au long de l'année 1915. On les vit, bandes de nègres conquérants du Vieux Monde, traverser la Somme en 1917. On les vit tomber à Verdun en 18. Tomber comme des mouches. Morts en d'odieuses postures, écartelés, démembrés, dépecés, défigurés... Si loin de leurs îles et sans ailes pour y retourner. Et ceux qui, dans la boue, dépouillaient les cadavres, se demandant ce que la guerre avait fait de leurs âmes, tiraient des poches de ces moribonds lettres d'amour et cartes postales des Antilles, photos de femmes noires retouchées, mouchoirs blancs parfumés, pentacles et prières, croix d'or et herbes à protection.

Il s'appelle M. Pineau. Il est rentré vivant de la Sale Guerre, la Der des Der qui a pris dans ses nasses les bons et les mauvais, les Noirs et les Blancs. M. Pineau n'en revient pas d'avoir échappé à l'hécatombe, à la fosse commune, à la tombe. M. Pineau est un rescapé, presque un miraculé. Je suis béni de Dieu, se dit-il. Et, à ce titre, il réclame du respect.

Au bout de quarante années de mariage, il exigera toujours qu'elle le crie ainsi. M. Pineau. Après tout, Julia n'est rien. Rien d'autre qu'une branche qu'il a arrachée sur sa route sans même descendre de son mulet. Une petite négresse fessue, les tétés debout, qu'il a convoitée jusqu'à épouser un 28 avril de l'année 1917. Un ventre qui lui donnera une descendance légitime. Trois fils. Trois nègres bien bâtis. Non, Julia n'est rien d'autre qu'une méchante terre qu'il laboure, souille et piétine chaque jour de sa vie. L'esclavage est aboli depuis 1848, mais ce M. Pineau se déclare son maître. Elle porte son nom, comme antan les esclaves endossaient le nom de leur maître. Le jour où il la mène devant Monsieur le maire de Capesterre, il l'enchaîne à lui. Funeste jour où, ignorante, on enjoint à Julia de tremper cette plume noire dans l'encrier et de signer de la croix des illettrés, là, au bas d'écritures muettes. Elle donne son consentement. Elle dit oui pour l'éternité. Oui à l'esclavage, au fouet, au mépris et aux humiliations. Y a plus moyen de revenir en arrière, de défaire les liens du mariage.

Oui, c'est ainsi que Julia se vend à son bourreau, inconséquente, avec cette croix qui la dénonce en tant qu'analphabète. Une croix boscotte, aux traits grossiers. Une croix attestant qu'elle renonce à sa liberté de femme. Avant, elle n'a jamais manié un porte-plume. Elle s'en empare comme d'une houe, gaillarde, à croire qu'elle s'apprête à ouvrir un nouveau sillon dans la terre du jardin de sa mère. L'encre voltige sur la page. Trois taches noires maculent le papier blanc. Trois taches noires que le premier adjoint s'empresse d'écraser dessous un buvard rose. Trois taches qui salopent ad vitam aeternam son acte de mariage. Julia sourit, à la façon d'une pauvrette. Son regard se pose sur son bel époux. Dedans ses yeux verts, elle voit grossir les taches d'encre noire, pareilles à de sombres nuages qui annoncent la colère des cyclones à venir. Alors, elle baisse la tête, pour ne jamais la relever. Elle apprend à porter sa croix. Celle-là même qu'elle a eu l'impertinence de tracer sur le registre de l'état civil. Il a honte. De ce jour, il lui fera payer au centuple la honte qu'elle représente à ses yeux. Payer avec des coups de fouet, à grands coups de poing, à méchants coups de pied.

Julia n'est pas allée à l'école. C'était le temps des colonies aux îles françaises des Antilles. Aucune loi n'obligeait les gens à vous envoyer à l'école. Les cannes avaient encore besoin de la négraille et tant pis si c'était des enfants. Julia est née en 1898, cinquante années après l'abolition de l'esclavage. Jamais, elle ne s'est demandé ce qu'elle aurait fait de sa vie si elle avait su lire et écrire et pu apprendre toutes ces choses savantes et inutiles qu'on trouve dans les livres. Est-ce qu'un homme l'aurait respectée ? L'aurait-on prise en considération ? Est-ce qu'elle aurait eu le droit d'élever la voix, une fois, une seule petite fois ? Non, Julia ne jalouse pas Daisy. Elle la regarde comme un mystère, comme une plante inconnue qui bientôt déploiera ses feuilles et offrira des racines à cuire au gros sel ou, peut-être, des fruits à confire qui laisseront un goût de miel dans la bouche. Dieu donne à chacun selon ses besoins, se dit Julia. Elle a grandi à une époque où la fatalité était de l'ordre du quotidien.

Angélique se racle la gorge comme si elle allait dire quelque chose. Les trois autres femmes la dévisagent, attendent en vain. Angélique rumine, se gratte l'oreille et garde bouche close. Elle pourrait en raconter des chapitres sur la fatalité.

Sacrée fatalité devant laquelle chacun se prosternait.

Satanée fatalité qui empesait l'air et les rires et les rêves…

Au lendemain de l'abolition, si peu d'espérances à l'horizon des jours. L'esclavage était un cadavre, certes. Mais à peine refroidi. À tout instant, on aurait dit qu'il pouvait se réveiller, se relever de ses cendres, ressusciter. On rencontrait partout des zombis blafards revêtus des oripeaux du vieil antan. À l'affût, parés à reprendre du service, ils erraient de-ci, de-là, arrogants, puant de la gueule et hurlant des insultes et des prophéties qui faisaient froid dans le dos. Souvent, des abois de chiens les accompagnaient. Ces chiens maudits qui jadis avaient mordu dans la chair nègre et poursuivi les marrons au tréfonds des forêts. Ces chiens honnis, haineux, complices des maîtres, dressés à reconnaître l'odeur des fugitifs, à les traquer sans relâche, à les assassiner. Ces chiens, on les lapidait à présent aux abords des plantations. On les assommait à grands coups de roches dans les ravines. On les estropiait même en songe. Oui, c'était ainsi qu'on aurait voulu lapider, assommer et estropier les zombis de l'esclavage qu'on croisait, bravaches, dans le regard des anciens maîtres. Maudits zombis… Ils demeuraient les ennemis héréditaires et leur dessein était de hanter la descendance des libres de couleur jusqu'à la septième génération. Hanter l'esprit, démembrer les rêves, assujettir à la fatalité pendant trois siècles et demi… Non, ils n'en avaient pas fini avec la négraille. Et chaque jour, on les voyait s'acoquiner avec les anges du Mal, sorciers, diablesses, mécréants de tout acabit qui manigançaient pour que le nègre croupisse dans la misère. On dit que, par esprit de revanche, d'aucuns s'alliaient aux vents des cyclones afin de ruiner votre jardin, noyer vos petits, mettre en pièces la case que vous aviez bâtie, dimanche après dimanche, avec trois camarades, et du sang, de la sueur, des rêves. Alors, les gens vivotaient dans la précarité d'une existence prêtée un petit moment. On était là, que voulez-vous… Sous ce ciel-là, amarrés à cette terre, pareils à des cabris enchaînés à leurs piquets. Et fallait accepter d'être là, dessous la pluie et le soleil raide, à trimer pour deux sous, à couper et hacher la canne, jour après jour. Et y avait rien à dire quand la terre folle dansait et tremblait sous vos pieds pour la joie des zombis. Juste attendre que ça passe, comme les ouragans, la pluie, les heures, les ans, la vie. On était là, que voulez-vous…

La deuxième fois que Julia appose une croix au bas d'un papier blanc, nous sommes en 1961. Son fils militaire lui fait établir une carte d'identité française…

En 1943, elle l'a vu partir à la guerre. Elle l'a même encouragé à répondre à l'appel du général de Gaulle, à rejoindre la dissidence. Elle sait qu'il s'en reviendra vivant et en un seul morceau. Trois fois, ses rêves le lui ont prédit. Celui-là a de la chance. Il est sous la protection d'un bon ange. Enfant, il a failli mourir à maintes reprises : fièvres et frissons, mauvaises chutes, plaies à pus vert et sang noir, morsures de chien enragé et d'araignée bleue, piqûres, coupures, brûlures, noyades et foudroiements. Il a survécu à ces calamités. Il est son fils chanceux et c'est ainsi qu'elle l'a surnommé : Pied-chance, du nom de cette plante volubile qui – paraît-il – apporte la bonne fortune et qu'on trouve en pot dans toutes les cases créoles.

Là-bas, en France, il y a encore la guerre. La Seconde Guerre mondiale. Et Julia lui dit : « Foukan de Gaulle ! A yen pé ké rivé-w… » Il a dix-neuf ans à peine. Il est brave, le chanceux de Julia. C'est son deuxième fils. Il sait lire et écrire. Inscrit au lycée Carnot de Pointe-à-Pitre, là-bas, de l'autre côté de la Rivière Salée, il excelle dans les études et se promet à un bel avenir. C'est sûr, celui-là n'entrera pas dans la canne pour gagner son pain. Il apprend en parallèle la menuiserie et la mécanique. Quand il lui montre ses croquis, Julia les contemple avec fierté, à croire qu'il s'agit de quelque œuvre d'art. Elle plisse les yeux et suit le fil des schémas compliqués, les courbes tracées au compas. Il pointe du doigt des nombres à rallonge qu'elle scrute avec attention, comme si les chiffres étaient des graines à semer qu'elle aurait pu reconnaître. Pour elle encore, sa mère adorée, il énonce des mots savants appris à l'école : tenon, mortaise, piston, carburateur, marqueterie, soupape. Et elle les répète après lui, pour le seul plaisir de les avoir en bouche. Piston, arbre à cames, culasse… Pour le seul bonheur d'en goûter les saveurs, sachant que ces mots sucés un petit moment n'appartiennent pas à son univers. Arbalé-trier, lattis, soupape… Elle les sent titiller ses papilles, s'en délecte comme d'une nourriture volée à la cuisine des maî-tres. Alors, elle remercie Dieu de lui avoir donné ce fils érudit, ce bel arbre à connaissances.

Foukan de Gaulle ! A yen pé ké rivé-w !

L'Allemagne a déclaré la guerre à la France. Le 14 juin 1940, l'armée allemande défile sur les Champs-Élysées. Le 17 juin, le maréchal Pétain demande l'armistice. Le général de Gaulle, alors sous-secrétaire d'État à la Défense nationale et à la Guerre, refuse de capituler. Il gagne Londres d'où il lance l'Appel du 18 juin. Aux Antilles, on le surnomme géné-ral Micro et on l'écoute passionnément parce qu'il incarne la résistance, la liberté, la dignité de l'Homme. Général Micro, c'est un grand nègre marron, chuchotent les familles assem-blées autour des postes à galène. La France a perdu la guerre, les trois cinquièmes de son territoire sont occupés. À l'an-nonce des pourparlers avec les Allemands, le gouverneur Constant Sorin jure ses grands dieux qu'il ne se couchera pas devant l'ennemi. Bien vite, il rentre dans le rang et devient un fidèle suppôt de Pétain. En Guadeloupe, les temps sont raides et les nègres redeviennent des nègres dans le regard des Blancs. Adieu, l'égalité des hommes prônée par les valeurs républicaines. Travail, Famille, Patrie sont les nouveaux mots d'ordre. Toute manifestation de soutien au général de Gaulle est passible d'internement, d'emprisonnement au fort Napoléon ou de relégation à l'île du Diable, au large de la Guyane, en ce bagne d'où l'on ne revient pas.

Fervent pétainiste, haut-commissaire aux Colonies, l'amiral Robert règne déjà sur la Martinique. Il se méfie de Sorin et n'oublie pas ses fumeuses déclarations au lendemain de la capitulation. Il envoie donc l'amiral Rouyer, commandant du croiseur la *Jeanne d'Arc*, veiller les faits et gestes du gouverneur de l'île sœur. Dans les cales de la *Jeanne* qui garde la rade de Pointe-à-Pitre, on raconte que soldats et marins déserteurs sont torturés sans procès avant d'être jetés aux requins. Les Antilles françaises vivent à l'heure vichyssoise. Rationnement, répression, ressentiment et résignation font le pain quotidien. Dès le mois d'octobre 1940, les Américains imposent un blocus aux vieilles colonies. Passées à l'ennemi, situées sur les routes maritimes qui mènent au canal de Panama, Guadeloupe et Martinique occupent en effet une place stratégique sur l'échiquier de la guerre. Les navires de la métropole n'arrivent plus. Les quais sont vides. Plus de marchandises. Plus de denrées venues de France. Plus d'essence. Plus de farine de froment. Un deux temps, sur les pontons désertés, on voit traîner les dockers, espérant un bateau du Venezuela, une yole de Dominique, un navire battant pavillon hollandais ou chinois. Las d'attendre, ils s'en retournent bien vite dans leurs campagnes, abandonnant la ville à sa faim-valle. En ces temps de disette, le sel vaut de l'or et le sucre de canne n'adoucit pas les jours.

Oui, on se débat dans la misère. Et on court, poursuivis par les chiens des gendarmes. On court devant les milices enragées du gouverneur Sorin. Le ventre creux, éperdus, on court dans le couvre-feu. Et c'est à se demander si les zombis du temps jadis ne sont pas à l'œuvre, attisant leurs tisons, chuchotant leurs sermons aux cerbères de Sorin. S'ils ne sont pas de retour au pays et prêts à en découdre de nouveau. Est-ce que les faiseurs de lois n'auront pas l'idée de remettre l'esclavage à la mode du jour ? Sait-on jamais… Un matin, ne risque-t-on pas de voir placarder sur les murs un arrêté annonçant le rétablissement de la servitude ? Est-ce que la sale histoire ne va pas se répéter ? On raconte qu'en Europe, les Juifs doivent porter une étoile jaune sur leurs habits noirs. C'est ainsi qu'on les met à l'index, qu'on les bannit du genre humain, qu'on les élimine. Mais les nègres sont facilement identifiables. La couleur de leur peau les dénonce avant même qu'ils aient besoin d'ouvrir la bouche.

Les nègres d'ici courent vite. Et l'île Guadeloupe est une gigantesque nasse dans laquelle ils courent et tournent en rond. Une ratière qui les tient prisonniers, qui a tenu prisonniers leurs aïeux et qui tiendra prisonniers leurs enfants. Une geôle empestée de remugles où, dans l'âpre quotidien, bouillonnent les rêves de liberté incarnés par de Gaulle, grand

93

nègre marron de la République. Liberté si chèrement arrachée par les pères, après quatre siècles d'esclavage. Liberté chérie confisquée par Sorin. À l'école, l'estomac plein de vents, les petits élèves s'alignent devant le drapeau de la défaite. Là, plantés au milieu de la cour, des maîtres serviles les contraignent à chanter la gloire de Pétain : *Maréchal, nous voilà ! Devant toi, le sauveur de la France. Nous jurons, nous tes gars, de servir et de suivre tes pas. Maréchal, nous voilà ! Tu nous as redonné l'espérance. La Patrie renaîtra ! Maréchal, Maréchal, nous voilà !* Mais le soir venu, avec leurs aînés, ils se pressent autour du vieux poste et écoutent le général Micro. Ils entonnent ses couplets... *La France n'est pas seule !... Elle a un vaste empire derrière elle... J'invite les ingénieurs et les ouvriers spécialisés... La flamme de la résistance ne doit pas s'éteindre et ne s'éteindra pas. Demain, comme aujourd'hui, je parlerai à la radio de Londres...*

Foukan de Gaulle ! A yen pé ké rivé-w !

Entrer en dissidence, c'est entrer dans la clandestinité. Déserter l'armée régulière du maréchal Pétain. Feinter les patrouilles des vedettes de la *Jeanne*. Braver les eaux furibardes du canal de la Dominique. Et rejoindre les groupes de résistance de la France libre. Le chanceux de Julia a l'âme rebelle. Il veut s'échapper de la nasse. Il en a assez de courir devant les chiens de Sorin. Il est décidé à marronner. Il va sortir de la ratière et voler au secours de la France. Chaque soir, il écoute le général Micro qui enjoint les cœurs épris de liberté à rallier sa cause. Il connaît l'Appel par cœur et le répète comme une prière. Il veut être de ce combat

Le chanceux quitte le lycée Carnot. Sur les hauteurs de Routhiers, au pied du volcan de la Soufrière, il se porte volontaire dans un camp de Compagnons de France qui effectuent des travaux pour la marine du maréchal Pétain. Bien vite, habile menuisier, il acquiert la confiance de ses supérieurs et dirige la scierie de Fonds-Cacao. Nommé chef d'équipe, il a sous son autorité six bougres qu'il n'a de cesse de voir déserter. Il considère le maréchal Pétain comme un homme de piètre grandeur, un oiseau de mauvais augure sans envergure aucune. Le général de Gaulle est son héros. Et il le chuchote. Il le serine tout au long du jour. On va pas rester sous la botte de Sorin. Faut partir en dissidence. Faut répondre à l'appel du général Micro. Nous tous, on va s'évader. Faut préparer le voyage. La France a besoin de nous. La France est en danger. Faut se battre pour la liberté. Se battre sans relâche. Et il fait des émules, le chanceux de Julia. Chacun est soudain convaincu de l'urgence. Partir. Gagner la Dominique. Libérer la France. Laissons les traîtres et les capons mariner dans leur défaite. Notre Mère Patrie nous attend. Le général de Gaulle nous attend. La liberté nous attend.

Foukan de Gaulle ! A yen pé ké rivé-w !

Julia le voit aller et venir sur son vélo, monter et descendre la route de Fonds-Cacao. Il est toujours accompagné de larrons comploteurs. Rien qu'à les regarder, on devine à leurs mines qu'ils causent de dissidence. Ils débattent à mi-voix mais chacun de leurs gestes les trahit. Ils trépignent et piétinent déjà les Allemands. Leurs yeux lancent des éclairs et ça mitraille dans tous les sens. Du matin au soir, ils intriguent, trament, dressent des plans. Sur le marché où elle vend son café, ses bâtons de caco doux et sa poudre à colombo, Julia entend causer des tortures qu'on inflige aux partisans gaullistes. Elle craint pour son chanceux. Et s'il était pris, dénoncé par des jaloux, emmené dans les cales de la *Jeanne*, envoyé au bagne, derrière le dos du Bon Dieu, là-bas, aux îles du Salut ? Vaut mieux qu'il rejoigne le général Micro, se dit Julia. À quoi bon rester là sans espérance ? Faut marronner. Y a pas d'autres solutions. Marronner pour gagner sa liberté. Julia n'est pas seule à ruminer ces pensées-là. Elles habitent l'esprit des jeunes bougres et bougresses d'ici. Elles contaminent. Elles font florès. Et tant pis si on perd la guerre à fin. Au moins, on n'aura pas de regrets. On aura essayé. On aura prouvé qu'on n'est pas rien que des bêtes de somme, des nègres pleutres qui savent rien faire d'autre que courber l'échine et danser la biguine. On aura montré qu'on aime la France tout autant que les Français de France. Même si on est des négros, on aura tenté de les convaincre qu'on est des hommes et qu'on a un cœur. Et si par chance, on sort de la guerre, vainqueurs à leurs côtés, peut-être qu'il en sera fini des vieux zombis.

Foukan de Gaulle ! A yen pé ké rivé-w !

« Foukan de Gaulle ! A yen pé ké rivé-w ! » répète Angélique. Un sourire narquois ourle ses lèvres. Elle prend plaisir à piquer Julia. « Et s'il n'était pas revenu, s'il avait péri, là-bas au front, qu'est-ce que tu aurais dit ? Tu aurais pensé que tu as envoyé ton fils dans la gueule de la mort… »

« An té savé i té ké viré », répond Julia, laconique. Elle l'a déjà dit : trois fois, elle avait rêvé qu'il reviendrait vivant. Ses rêves ne l'ont jamais trompée. Toute sa vie, elle a rêvé pour les autres. Pas une seule fois pour elle-même. Si ça avait été le cas, elle ne serait sûrement pas tombée à pieds joints dans les lacs du bourreau. Elle aurait évité de croiser sa route. Elle ne serait pas entrée dans ses rires. Elle n'aurait pas signé le registre de l'état civil. Elle n'aurait pas pris tant de coups… Mais avec des si, on peut se voir pousser des ailes et voler jusqu'au ciel du Canada. On peut marcher sur la tête. Avec des si, on peut réécrire sa vie…

Chacune alors se mire dans les eaux troubles de son existence. C'est un jeu nouveau inventé à l'instant et qui laisse en suspens le récit de Julia. Elles remuent les eaux dormantes apparues au mitan de la geôle. Elles ont soudain à l'esprit des si en quantité. Ils se matérialisent tels des joujoux, un soir de père Noël. Des si par brassées. Des si en veux-tu, en voilà. Les femmes ont des étoiles dans les yeux et des si plein les bras. Des si qui deviennent des objets de toutes couleurs et matières… bateau, avion, dînette, fruits en

97

plastique, abécédaire, robe à dentelles, éventail de princesse… Angélique est la première à lancer un si dans la flaque noire. Si elle n'était pas née durant l'esclavage, si elle avait connu les temps modernes, elle aurait tenu une boutique prospère et elle aurait joué à la marchande. Comme Daisy, elle aurait acheté une automobile. Et, au volant de son engin, elle aurait sillonné les routes, libre d'aller à son gré, ivre de sa liberté… Gisèle ferme les yeux. Elle pioche au hasard dans son lot de si et ramène une boîte à musique en forme de cœur. Quand elle l'ouvre, des notes mélancoliques s'en échappent aussitôt et la petite danseuse rose, surgie d'un écrin de velours rouge, se met à tourner sur elle-même, tourner, tourner… Gisèle referme le cœur. Avec précaution, elle le dépose sur la petite mare. Il vogue tel un canot, puis il sombre d'un coup et laisse au ras de l'eau des tourbillons dessinant des cœurs distordus… Si Gisèle ne s'était pas laissée mourir, emportée par le chagrin… Si elle avait vécu son temps échu… elle se serait remariée. Elle aurait vu ses petits-enfants. Au moins une fois, elle aurait mangé dans sa vaisselle de porcelaine. Elle aurait voyagé avec Daisy, bras dessus bras dessous dans un de ces voyages organisés. Et à soixante-dix ans, elle serait partie en cure à Dax...

La porte de la geôle couine, s'entrouvre. Elles font silence, se recroquevillent, chacune dans son coin. Un rai de lumière coupe en deux le ciel de la marelle qu'ont tracée Clara et Angèle. Les si se sont envolés et Daisy n'a même pas eu le temps de jeter un si dans l'eau noire. La terre est maintenant sèche là où la flaque était apparue.

Tu lui as dit : « Foukan de Gaulle ! A yen pé ké rivé-w ! » Et après ?

Julia reprend le fil de son histoire…

Afin de régler la traversée au passeur, le chanceux a vendu son vélo qu'il surnomme The Kid. Il a convaincu trois bougres de l'accompagner. Ces trois-là sont sans le sou ; il leur paye le voyage. Ils vont à la rencontre de l'inconnu. Ils voguent vers l'île Dominique, la terre voisine où ils n'ont jamais mis les pieds. Ils rament en direction d'un territoire britannique. Le canot fend la nuit noire sur la mer en furie. Ils rament et écopent. Et la mer fait des creux et des bosses dans un fracas de tous les diables. Ils rament, la peur au ventre, songeant à une fiancée abandonnée sur le rivage, une mère éplorée, un enfant à naître. Les vagues déferlent et cognent encore et encore. Ils rament pour la France libre du général Micro. Ils rament de toute leur âme. Et quand la Dominique apparaît au petit matin, ils savent qu'ils sont des hommes nouveaux. Ils ont réussi. Bientôt, ils vont fouler une terre de liberté. Et puis, ce sera l'Amérique et l'Europe où les combats font rage. Ils sont tout près de rejoindre de Gaulle. Ils vont sauver la France. Ils sont parés à mourir pour elle. Ils l'ont juré. Non, ils ne partent pas en colonie de vacances. Ils sont les dissidents.

À la fin des hostilités, le chanceux revient vivant, ainsi que Julia l'avait prédit. Fidèle au Général, il décide d'embrasser la carrière militaire. Elle, Julia, négresse sans instruction ni bagage, a un fils soldat qui porte la grandeur de la France dans toutes les colonies de l'Empire.

Julia se souvient de son retour en 1950…

Pied-chance se tient dessous l'ombrage des grands arbres du jardin de Routhiers. Il déploie ses bras comme des branches et il raconte sa guerre, tandis qu'elle récolte des citrons verts. Il raconte la France où s'inscrit son destin. Il raconte le monde. Il a vu l'Afrique : Maroc, Algérie, Sénégal. Julia se réjouit pour lui mais elle ne l'envie pas. Son petit bout de terre perché sur les flancs du volcan lui suffit. Elle n'a pas l'âme voyageuse, Julia. Ses racines sont plantées solides dans la terre de l'île Guadeloupe. Son univers se limite à ses bords. Non, elle n'a pas besoin de courir le monde pour emplir son existence. Est-ce que les hommes sont meilleurs sous d'autres cieux ? Elle en doute. Ce qu'elle a entendu des ravages de la guerre, échos et sirènes, ne lui fait rien présager de bon pour le genre humain. Partout et toujours la même sauvagerie, la même barbarie, la même folie habitent le cœur des hommes. Et Julia en connaît des longueurs sur ces calamités. Le bourreau lui a déclaré la guerre à l'aube de leur mariage et elle ne voit pointer à l'horizon ni trêve ni armistice. Chaque jour, c'est coups, calottes et jurons. Chaque jour, c'est menaces, terreurs, tortures et compagnie. Cent fois, le bourreau a promis qu'il la tuerait. Julia toise le chanceux. Son regard plonge dans les yeux noirs de son fils soldat. Est-ce que celui-ci est meilleur que son père ?

Julia se souvient… Ils arpentent le jardin. Le chanceux déambule comme un visiteur dans les salles d'un musée végétal. Il marche la tête haute, le nez au vent, pareil à un qui revient dans les sentes de son enfance et récuse ses souvenirs. Il a voyagé. Il a fréquenté des gens civilisés. Il n'est plus son cher Pied-chance qui s'asseyait auprès d'elle et l'aidait à monder le cacao. Il est devenu un Monsieur et réclame du respect, comme son père.

Julia se souvient… Ils sont trois dessous le feuillage d'un grand oranger. Un garçon âgé de deux ans à peine accompagne son fils soldat. Elle cueille des oranges. Ils causent et elle ne pose pas de questions, ne demande pas qui est le marmot dans les jambes du pantalon kaki. Ils parlent des dernières pluies et du prix du café. Le panier est plein, le ciel lourd de nuages noirs. La nuit s'apprête à tomber. Le militaire ne dit rien de l'enfant. Alors Julia fait comme s'il était un invisible, une petite créature échue d'un monde surnaturel que chacun voit et évite de regarder. Mais, soudain, le chanceux fronce les sourcils, se gratte la tête. Il saisit la main du garçonnet et déclare que c'est l'enfant d'un ami écrasé sous les roues d'un camion, là-bas, au Sénégal. Un ami frère, soldat de l'armée française comme lui-même, qui s'était épris d'une belle Sénégalaise. Ces deux-là s'étaient tant aimés, soupire-t-il. Julia dévisage l'enfant et jette une orange dans son panier. Le chanceux annonce qu'il a recueilli le fruit de leur amour. Par fraternité, esprit de camaraderie, fidélité à un défunt... Il a fait son devoir. Non, c'était au-dessus de ses forces, il ne pouvait pas abandonner cet orphelin derrière lui, le laisser là-bas en Afrique. Julia opine et tend une orange à l'enfant. Le chanceux donne un coup de pied dans une mangue verte tombée parmi les herbes rases et, sans transition, il annonce qu'il va se marier. Au bourg de Capesterre, il a rencontré une gentille fille, une mulâtresse, qui veut bien l'épouser et s'occuper du petit. Elle s'appelle Daisy. Est-ce que celui-là a hérité de la folie de son père ? se demande Julia lorsqu'il tourne les talons tout soudain et s'en retourne de par le monde.

Le 1er avril 1950, Julia ne sera pas de la noce. Le bourreau non plus. Il lui a interdit de se présenter au mariage. Elle a obéi sans broncher. À quoi bon faire des histoires ! Elle est mariée. Elle est sous son autorité. Elle a signé. Dès qu'ils se voient, père et fils se cherchent querelle. Pourquoi toutes ces disputes ? Si Julia ne se plaint jamais, le chanceux prend la défense de sa mère outragée. Il reproche au bourreau d'être un scélérat, un tortionnaire de la pire engeance, un esclavagiste, un nazi... Ces deux-là se lancent des injonctions et de terribles mises en garde. Julia n'a pas réclamé d'avocat. Elle se replie dans son jardin, s'agenouille auprès de ses petites plantations et prie Dieu de faire revenir la paix dans la case. Elle ne compte plus le nombre de fois où elle a supplié le chanceux d'aller embrasser son père. Bien qu'elle craigne ses accès de colère et ses coups, Julia éprouve de la compassion pour l'homme qui se frappe le torse et se proclame son maître. En vérité, il est perdu sans elle. Toute la journée, il fanfaronne et court la donzelle. Las, il n'a personne d'autre qu'elle pour veiller sur lui. Julia cuit son manger, lave et repasse son linge. La nuit venue, elle réchauffe son corps quand les fantômes des tranchées se lèvent dans un cauchemar. Et il crie. Il hurle à la mort. Il grelotte de froid. Qui d'autre qu'elle pourrait supporter cette âme souffrante... Alors, elle s'apitoie sur le sort de Misyè Pineau. Elle le voit comme un pauvre bougre, un arbre malade, les racines attaquées par les charançons, le tronc cagneux, les branches malingres.

Le chanceux repart.

Puis il revient en 1961, après un séjour au Congo.

Quatre enfants courent dans les jambes de Daisy.

Julia se souvient... La voiture verte, plus longue qu'un canot...

Une *Versailles*, précise Daisy qui se revoit assise dans l'auto. Elle fixe la route qui s'ouvre à travers les champs de canne. Elle est immobile, ne bouge pas d'un cil, pareille à une poupée de cire. Elle porte une robe de cotonnade beige imprimée de petits personnages stylisés. Des guerriers congolais vêtus de pagnes et armés de sagaies. Elle a acheté la pièce de tissu sur le marché, à Brazzaville...

La longue voiture garée devant l'église de Capesterre, reprend Julia.

Son fils militaire est revenu au pays. Il a bien réfléchi. Il veut l'emmener en France. Il s'occupe de tout. Les papiers, les démarches administratives, le paiement de la traversée. Il va la sortir de sous la botte du bourreau. Il est temps. Il n'a que trop tardé. Oui, c'est décidé, il va l'enlever. Il va la libérer. Il assène les mots français sans que sa langue fourche. Il impressionne Julia. Qu'est devenu son petit Pied-chance ? L'homme qui se dresse devant elle donne des ordres et commande. Il a pris du galon dans l'armée française. Il n'y a pas à discuter. Il faut monter dans l'auto illico presto. C'est un enlèvement. Tout est organisé. Il a fait une demande de carte d'identité. Elle n'aura qu'à signer et embarquer. C'est fini ! Tu ne retournes plus à Routhiers ! Julia monte dans l'auto. Elle sera cantonnée dans un endroit tenu secret jusqu'à l'embarquement. Non, elle n'a pas besoin de ses vieilles robes pendues là-haut dans sa case infâme. Il lui achètera le nécessaire. Il a tout prévu. Et Julia se résigne et obtempère. Une nouvelle fois, on lui demanda de signer. Faire une croix sur une carte d'identité française pour embarquer sur un bateau. Est-ce qu'elle est française ? Est-ce que les Français n'ont pas la peau blanche ? Elle est guadeloupéenne. Négresse de Routhiers, elle n'a même jamais mis les pieds à Pointe-à-Pitre et on lui demande de partir en France…

Le bateau, c'était un paquebot. Le paquebot *Antilles*, précise Daisy.

Julia se tait. Du bout de sa branche de goyavier, elle trace des croix sur le sol. Et puis, du plat de la main, elle caresse la terre battue.

La traversée durait dix jours. À l'époque, il n'y avait pas tous ces avions, poursuit Daisy.

Julia n'a plus envie de causer. Elle laisse la parole à Daisy qui raconte la vie à bord, les dîners à la table du commandant, les bals et les toilettes chics… Angélique s'extasie sur ces contes du temps moderne. Gisèle dodeline de la tête et sourit, à croire qu'elle couve à présent des regrets. Aurait-elle quitté son île si elle avait vécu au-delà de ses vingt-sept ans ? Serait-elle montée sur un paquebot blanc ? Qui peut répondre à ces questions ?

Julia enfonce ses ongles dans la terre. Elle gratte et fouille et récolte la terre sous ses ongles. Des boulettes de terre roulent entre le plat de ses paumes qu'elle frotte l'une face à l'autre. C'est ainsi qu'elle procédait pour façonner ses boules de caco doux. Elle sent la terre et ferme les yeux. Elle n'est plus enfermée là, dans la geôle noire. Elle est rendue en France dans la cité du Kremlin-Bicêtre où elle vivra six années. De 1961 à 1967…

Julia perçoit le babil des enfants de Daisy.

Julia revoit la chambre des filles où elle dormait au bas d'un lit superposé. Elle est agenouillée au bord du lit, suppliant Dieu de la renvoyer à sa terre. Elle demande au Seigneur de lui planter deux grandes ailes dans le dos pour qu'elle puisse voler jusqu'à l'île chérie où le bourreau dépérit. Elle invoque les Apôtres et tous les anges du Bien. Elle les somme d'intercéder en sa faveur, de souffler à l'oreille du Très-Haut quelques mots de recommandation concernant son affaire. Elle marmonne qu'elle est une pécheresse. Mariée à l'église pour le pire et le meilleur, elle a abandonné son époux pour ne pas contrarier son fils soldat. Elle ne sait plus à quel saint se vouer. Elle sait seulement qu'elle veut repartir d'un bon pied et dans le droit chemin.

À ses côtés, une petite de Daisy est agenouillée aussi, les mains jointes en prière. Elle s'appelle Gisèle. Elle est née en France. Elle a vécu au Congo. Elle ne se souvient guère de l'escale guadeloupéenne. Elle avait cinq ans à peine en 1961. Elle en a dix à présent. Elle est fan de Sheila et de Joséphine Baker. Elle danse le jerk et le twist. Elle chante faux et elle écrit des histoires. Le soir, elle prie avec Julia pour retourner sur la terre de Guadeloupe qu'elle a si peu connue.

Daisy

Adieu, foulards, adieu, madras…

Daisy dit une nouvelle fois adieu à son île. Elle l'ignore encore, mais elle ne la reverra pas avant neuf années. Nous sommes en 1961. Daisy a déjà mis au monde quatre enfants. Son aînée porte le nom d'une héroïne de roman-photo. Lisa, l'inoubliable Lisa en noir et blanc qui se mourait d'amour pour un dandy italien, est devenue sa fille. Lisa est née à Nîmes en 1951. Quand ils montent à Paris, les jeunes mariés occupent un petit appartement dans le XIVe, rue du Général-Séré-de-Rivières. En l'espace de trois ans, 1955, 1956 et 1957, Daisy se retrouve mère de famille nombreuse. Adieu, jeunesse, adieu, colliers-choux… Parisienne, elle presse le pas entre la porte d'Orléans et la porte de Vanves. Sous la neige, elle court du boulevard Brune à la rue d'Alésia. Jour après jour, elle apprend sa vie de femme tandis que son mari sillonne le monde, fait de brèves escales à Paris et dérive de l'Afrique à l'Asie dans les guerres coloniales. L'heure des indépendances a sonné, l'empire agonise, mais le chanceux, promu adjudant-chef, ne se lasse pas de servir la Patrie. De l'Indochine, il revient un jour. Il rapporte quelques médailles clinquantes, des anecdotes par charretées, des sautes d'humeur et puis une femme aux yeux bridés. Elle serre dans ses bras un bébé. Il tient par la main un garçonnet. De sa guerre d'Indochine, il ramène deux enfants et une seconde épouse, sans alliance. Deux fils… Il les installe dans une chambre, rue du Général-Séré-de-Rivières. Il va les envoyer en Guadeloupe, chez une tante. Il n'y a pas à discuter. Pas lieu de s'offusquer. C'est ainsi qu'on bâtit une descendance…

Daisy se souvient… Un matin qu'elles se trouvent seules dans l'appartement, l'Indochinoise lui fait comprendre par gestes, mimiques, mots étrangers et français mélangés, qu'elle n'est pas son ennemie. Lorsqu'elle débarque en France, elle pense être la seule femme du militaire, elle croit qu'il va l'épouser en vrai. Elle promet de ne causer aucun tort à Daisy, de ne pas nuire à ses enfants. Les deux comprennent qu'elles sont dans le même bateau de déveine. Et le capitaine du bâtiment a sûrement son idée sur la route et la destination de leur curieuse expédition. L'homme qu'elles se partagent est un grand planificateur, un organisateur, un commandeur. Elles n'ont rien d'autre à faire qu'à obéir aux ordres, marcher droit, plier dessous la logique despotique.

Un soir d'hiver, branle-bas de combat, ils disparaissent avec armes et bagages. Histoire sans paroles. Les jours passent. Le chanceux revient, seul. Son visage est fermé à triple tour. La nuit, il prend possession de son corps pendant que Daisy pleure, encaisse et songe à l'Indochinoise. Le printemps arrive sans nouvelles de la femme aux yeux bridés, sans un mot de repentir. Dans le flot des chuchotis que les galonnés échangent au salon, à l'heure de l'apéritif, Daisy apprend que sa compagne de misère est retournée en son pays lointain avec son bébé. L'aîné des enfants a été confié à un ami frère, un militaire célibataire qui a juré d'élever le petit de Pineau comme sa chair. Affaire bouclée, bouches cousues…

Daisy se souvient… Le temps défile au gré de l'humeur de son époux. Il y a des jours où il terrorise les enfants et d'autres où il joue au papa gâteau. Daisy va au rythme de ses tocades, colères et lubies. Est-ce la lune qui influe sur son caractère ? Est-il habité par quelque esprit démoniaque rapporté de l'un de ses voyages en Afrique ? Une maladie de la tête se serait-elle déclarée ? Ou bien, comme d'autres, aurait-il respiré des gaz toxiques dans la guerre d'Indochine ? Chaque jour, Daisy se lève dans l'incertitude et la crainte, ne sachant ce que lui réservent les heures à venir.

Daisy se souvient… Un matin, rue du Général-Séré-de-Rivières. Il est guilleret à l'heure du petit déjeuner, père joyeux, il invite Lisa à grimper sur ses genoux et la taquine, lui pince les joues et la chatouille sous les bras. Inquiets sans bien savoir pourquoi, Paul et Rémi profitent de la trêve et trempent des tartines molles dans leurs bols de chocolat au lait. Gisèle rêvasse en buvant son biberon, tandis que Lisa grimace et se trémousse comme si elle était tombée dans un nid de fourmis. Daisy sourit. Elle est enceinte d'Élie qui naîtra en décembre de l'année 1957. La belle famille ! se dit-elle. Si elle avait eu un photographe à domicile, elle lui aurait demandé d'immortaliser le moment. Elle aurait envoyé deux ou trois clichés, là-bas, en Guadeloupe. Et ils auraient vu, constaté, vérifié qu'elle avait bien fait de s'opposer à son père en épousant ce nègre de Routhiers. Son père Émile aurait reconnu qu'il s'était trompé en lui prédisant le malheur si elle liait son destin à ce fils Pineau, ce beau parleur, qui avait sûrement hérité de la folie de son géniteur. Quant à sa mère, Félicie, elle aurait remercié Dieu, aurait cessé de se tourmenter en songeant à sa fille exilée en France. Et Daisy aurait aussi gardé des photos pour l'album de famille. Tous les jours, elle aurait contemplé ces jolies images du bonheur, se persuadant, au fur et à mesure, que le tableau qu'elle voyait là était la copie conforme de sa vie. Et elle aurait peut-être fini par entrer dans l'une de ces photos, pour vivre une existence rêvée. Elle serait entrée là comme elle entrait dans les romans qu'elle lisait en ces heures grappillées à son morne quotidien.

Elle aurait été cette femme rayonnante face à l'objectif. Épouse et mère comblée. Plénitude et perfection…

Mai 1957. Le chanceux part en Algérie. Enceinte de son deuxième fils, Daisy tombe malade, hospitalisée. Mal de poumons. Pleurésie. Sanatorium. En toute urgence, les enfants sont placés dans des familles, chez des nourrices. Un jour de décembre, une ambulance conduit Daisy à Paris où elle accouche. Retour au sanatorium, seule. Par une énigme administrative, Élie se retrouve à l'Assistance publique. Des fonctionnaires zélés affirment que des documents signés attestent de l'abandon du petit garçon. En son sanatorium, Daisy jure qu'elle n'a pas renié son enfant. Le chanceux revient. Il remue ciel et terre jusqu'à recouvrer son droit de paternité. Ce problème réglé, il écrit aux Antilles.

Sa lettre voyage sur un grand bateau transatlantique. Sa lettre est entre les mains de Félicie. Avec Émile, elle la relit cent fois. Les mots sont des lames qui la traversent de part en part. Les mots sont des pierres. Et Félicie est lapidée. Les mots sont des balles. Les mots accusent et crucifient. *Votre fille avait une maladie, tare congénitale… Vous le saviez et ne m'en avez pas averti… Elle se meurt à présent dans un sanatorium… Je serai bientôt veuf avec cinq orphelins…* Félicie passe ses nuits à se tourner et se retourner dans la couche. Elle dort mal et, lorsqu'elle finit par trouver le sommeil, un même cauchemar vient à sa rencontre. Dans la pénombre, elle voit deux berceuses au mitan de son salon. Deux de ses filles se balancent là. Elle sait que ce sont ses filles même si elle ne peut discerner les traits de leurs visages. Elle les entend causer mais ne comprend pas leurs paroles. Autour, la table, la commode et le buffet se sont transformés en vache et bœufs. Félicie aperçoit maintenant une grande savane. Les herbes sont hautes. Au loin, il y a un arbre, un immense manguier. Les berceuses sont des balançoires pendues aux branches de cet arbre avec des cordes. Le ciel est noir, mais une trouée de lumière providentielle éclaire le manguier. Félicie avance dans les ténèbres. Ses pieds nus heurtent des roches. Elle prie Dieu et tous les saints de sa connaissance. Elle approche. Elle est si près de les toucher. Bientôt, elle pourra serrer ses filles chéries dans ses bras. Deux pas encore, et elle reverra Gisèle et Daisy. Gisèle, partie trop tôt à cause d'un mal d'amour, et Daisy, partie trop loin, de l'autre côté de la mer, au bras de ce bandit... Félicie dit leurs noms... « Gisèle, Daisy... » Félicie crie leurs noms... « Gisèle ! Daisy ! C'est votre manman qui vous parle ! Regardez-moi ! Répondez-moi ! » Alors, d'un même mouvement, les deux créatures se retournent. Deux cadavres brinquebalants à moitié dépouillés de leur chair, le cheveu rare, des dents manquantes plein les mâchoires. Félicie les reconnaît. Ce sont bien ses filles. Gisèle ! Daisy ! L'une, veuve noire, est habillée d'une robe de deuil, l'autre est drapée dans une toile, bleu blanc rouge, aux couleurs de l'exil.

Non, Félicie ne restera pas les bras croisés en attendant une nouvelle lettre du militaire. Non, elle ne laissera pas une autre de ses filles mourir de chagrin par la faute d'un homme.

C'est décidé, elle vend un bout de terre à Goyave pour payer le voyage de Maggy, sa benjamine. Non, elle n'abandonnera pas Daisy à son sort, non plus aux mains de la mort.

Et c'est ainsi que Maggy a fait la traversée ! s'exclame Gisèle, tout émerveillée par les conjonctures et mystères de la vie.

Julia renifle sa branche de goyavier comme si elle humait quelque substance illicite, capable de la transporter loin de la geôle où s'étale à la connaissance de tous ce qui aurait dû demeurer caché, enfoui au plus profond de la mémoire. Elle pense au chanceux, enfant, et au mâle qu'il est devenu. Elle songe à ses jeux de petit garçon innocent. Elle le revoit échapper mille fois à la mort… Elle a porté en sa chair cet homme. Elle l'a nourri du lait chaud qui gouttait à ses seins. Elle lui a prodigué caresses et tendresses, tant qu'elle pouvait donner. Elle l'a vu héros de la dissidence et puis, prince déchu, tyran domestique. Elle ne peut dire que Daisy raconte des histoires. Au sortir de la messe, elle est montée dans l'auto verte. Elle a signé d'une croix sur la carte d'identité française. Elle a embarqué sur le bateau blanc et elle a vécu en France de 1961 à 1967. Là-bas, elle a vu son fils à l'œuvre, mais depuis elle l'a amnistié. Parfois, au plus fort de l'hiver, elle se demandait si elle n'avait pas échappé à un monstre pour tomber sous la coupe d'un autre du même genre, sinon pire. Dans l'appartement du Kremlin-Bicêtre, Julia se souvient qu'on entendait voler les mouches quand le chanceux était de passage, en escale, avant de repartir dans le Pacifique, pour Papeete.

C'était les années Tahiti, tikis, vahinés et tamouré... Terrorisés, les enfants comptaient les jours et restaient terrés dans leurs chambres, s'étiolant devant un cahier ou bien s'activant, sans broncher, à quelque tâche ménagère. Ils remerciaient Dieu des temps de liberté passés à l'école, loin de l'humeur versatile de leur père. Les samedis de signature des carnets de notes, Pied-chance déroulait sa longue ceinture de cuir et décorait les dos de Rémi et d'Élie de serpentins de 14 juillet. Mais toutes les occasions étaient bonnes pour faire la fête et il n'avait pas besoin d'attendre le samedi pour dispenser les rossées. Pipis au lit, cris et chamailleries se terminaient toujours en tamouré dessous les coups de ceinture. Est-ce que les filles étaient soumises au même calvaire ? Oui, surtout Lisa.

Dans les années Tahiti, les petits attendaient son départ et appréhendaient son retour, se rappelle Julia. Il débarquait toujours par surprise. Pour surprendre son monde. Quand le chat n'est pas là, les souris dansent. Au milieu de la salle à manger, il ouvrait de grandes malles emplies de paille qui recelaient des trésors de Polynésie devant lesquels chacun devait s'extasier. Tikis, colliers de coquillages, pagnes de raphia, danseuses de plâtre harnachées d'un ressort à la taille, mandibules de requins à sept rangées de dents pointues, tranchantes comme des lames de rasoir... De ses autres voyages, il avait déjà rapporté des masques africains, des défenses d'éléphant, des statuettes d'ébène, un bouddha d'Indochine.

Et tous ces trophées trônaient sur les meubles de Formica, dormaient dans les vitrines, prenaient la poussière sur les murs tapissés de papier peint. C'était la caverne d'Ali Baba le chanceux...

Est-ce qu'elle est coupable d'avoir mis au monde un bougre de cette dimension ? Est-ce qu'elle est responsable du malheur de Daisy ? Julia n'a pas non plus échappé à sa folie... Un jour, il avait déclaré qu'il en avait assez qu'elle lui assène ce surnom ridicule. Pied-chance ! Est-ce que c'était un nom, ça ! Elle lui faisait honte devant ses amis, une tripotée de gradés à trois galons et deux citations. On était à Paris, en 1965, dans un appartement moderne, avec eau chaude et eau froide au robinet, cabinet de toilette, gaz à tous les étages, électricité en veux-tu, en voilà ! Pied-chance, c'était bon pour le temps où il courait sans souliers dans les bois de Routhiers, l'époque où il faisait caca dans des tinettes... Désormais, elle devrait lui donner du Monsieur Pineau ! Monsieur Pineau par-ci... Monsieur Pineau par-là... Il réclamait du respect, comme son père.

Julia voudrait bien rire de cette comédie, mais son cœur de mère est étreint par la peine.

Angélique rassemble ses jupes, se rapproche des deux sœurs. Les pensées amères de Julia la refroidissent de l'intérieur.

Adieu, foulards, adieu, madras..., poursuit Daisy. Dieu soit loué ! Maggy part pour la France. Daisy se met à chantonner. Et Gisèle reprend avec elle les couplets.

Adieu, foulards, adieu, madras, adieu, soleil, adieu, colliers-choux...

Angélique mêle sa voix à celles des deux autres. Elle chante à tue-tête. Elle ne veut pas entendre les pensées de Julia.

Angélique a connu l'esclavage. Elle sait que les hommes dominateurs savent user du fouet mais ne craignent pas de poser leurs mains sur les filles pubères. Angélique avait quatorze ans quand le Sieur Jean-Féréol Pineau pénétra sa chair pour la première fois. Il avait déjà vingt-huit ans. Elle n'était qu'une enfant. En 1831, en ce 31 mai où elle arracha la patente de liberté pour ses cinq petits, son aînée Virginie était âgée de vingt-quatre ans tandis qu'elle, Angélique, entrait seulement dans la trente-neuvième année de sa vie terrestre. Non, elle ne veut pas entendre les pensées de Julia.

Daisy se souvient... L'hiver 1958. Maggy est là, plantée devant elle, pareille à une apparition, un genre de personnage né d'un délire, d'un rêve, d'un roman. Est-ce la réalité ? Au sanatorium, aucune infirmière ne lui a annoncé l'arrivée de sa petite sœur. Mais elle est là... Maggy, dans une robe à fleurs roses qu'elle a dû coudre elle-même. Une robe de coton bon marché, froncée à la taille, avec des manches ballons et un col Claudine. Une robe qu'elle a peut-être portée une fois ou deux pour assister à la messe de Goyave. Une robe de dimanche qui fait un rond autour de ses mollets. Une robe toute gonflée du soleil des îles tropicales, incongrue au plein cœur de l'hiver.

Daisy raconte si bien qu'Angélique tombe dans ses filets et se laisse prendre à l'histoire de sa vie. Ma vie est un roman, déclare Daisy à qui veut l'entendre. Si je racontais ma vie, on pourrait en faire un très beau roman…

1959. La guérison. Toute la famille est de nouveau réunie, rue du Général-Séré-de-Rivières.

Daisy se souvient…

Cinq enfants dans les jupes. Elle est si jeune à la tête de sa petite tribu. Elle n'en revient pas d'avoir traversé tant d'épreuves tout en gardant intacts son âme rêveuse, sa belle peau d'ivoire, ses élans de cœur. Elle est mère, femme au foyer. Elle chérit sa marmaille sans faire de préférence et compte Paul, qui n'est pas sorti de son ventre, comme son fils, son aîné adoré. Aux heures désenchantées où elle pressent que sa vie n'est pas un roman à l'eau de rose, ses enfants illuminent ses jours. Ils sont le trésor de son existence. Sa seule richesse. Elle les voit grandir et s'émerveille de ce prodige. Avec eux, loin du regard affûté de celui que tous nomment à présent le Pater, elle rit dans les jeux, complote et console. À l'heure où rentre l'adjudant-chef, il faut se tenir à carreau, se taire pour échapper à la terreur. Se couler dans le silence pour éviter les coups, volées et autres châtiments barbares découverts là-bas, en Indochine, et expérimentés en la douce terre de France sur des enfants. Ils sont ses petits soldats et Daisy a bien saisi qu'elle est du bataillon domestique. Elle fait profil bas, rase les murs, se couche, docile. Adieu, foulards, adieu, romances…

Daisy se souvient…

Elle lit pour s'évader de son quotidien. Elle lit des romans d'amour. Et cette occupation lui est aussi nécessaire que le boire et le manger. Elle lit entre lessive et cuisine, entre leçons et biberons, entre souper et coucher. Elle lit et les histoires l'embarquent dans des voyages de cœur pleins de possibles et de rebondissements. Non, rien n'est jamais perdu, se dit-elle. Un jour, elle lit un livre où l'homme loup se transforme en agneau. D'une manière miraculeuse, elle le voit s'amender au fil des pages. Au terme de sa lecture, elle pleure, soulagée. Dans un autre roman, un riche héritier s'éprend follement d'une fille de ferme. Bien entendu, la famille du prétendant est hostile à cette union jugée contre nature. On lui coupe les vivres, on le fiance à une demoiselle de son rang, on lui met cent bâtons dans les roues. Après mille et une péripéties, les amoureux sortent victorieux de cette cabale. Ils se marient en grande pompe et font beaucoup d'enfants. Daisy court à la bibliothèque, sa petite troupe dans les jambes. Fiévreuse, impatiente, elle court pour emprunter des livres, dévorer des pages et des pages, emplir son âme de sauts de cœur volés à d'autres, de passions fulgurantes, de tous les feux de l'amour. À la voir se repaître de ces historiettes, on dirait qu'elle y puise toute son énergie, s'en nourrit pour tenir bon dans la tempête de son mariage, tenir face au Pater, se tenir debout, droite dans son rôle de mère.

Daisy caresse les mots couchés sur la couverture de son livre. Elle relève la tête et sourit à sa sœur Gisèle. Si j'avais su écrire, j'aurais raconté ton histoire, souffle-t-elle. Sauf que j'aurais changé la fin. Tu ne serais pas morte de chagrin. Tu aurais épousé un homme extraordinaire. Il t'aurait fait voyager à travers le monde. Il t'aurait couverte de bijoux. Il t'aurait aimée comme aucun homme n'a jamais aimé sur la terre.

Gisèle pousse un soupir de coquette, tente un sourire de sous son chapeau. Elle demande à Daisy de lui raconter encore la vie qu'elle aurait eue si elle n'était pas morte de chagrin, à vingt-sept ans.

Daisy ferme les yeux et s'élance. Elle voit Gisèle. Elle la voit monter dans une grande voiture blanche. Les mots fusent au fur et à mesure que les images se forment dans son imagination. Tu es à Paris. Au pied de la tour Eiffel. Tu portes une robe de percale rose. C'est ton premier voyage en France. Ton voyage de noces. Ton mari est un homme très galant. Tu l'as rencontré à Pointe-à-Pitre dans une kermesse. Tu lui as dit que tu étais veuve, que tu avais déjà trois enfants. Il est veuf, lui aussi. Sa pauvre femme est morte en couches. Il a trois petits qui aimeraient bien retrouver une mère aimante. Il écrase une larme et ton cœur est conquis. Tu veux bien remplacer la défunte. Alors, voilà, tout à trac, il fait sa demande. Et tu dis oui pour la vie. Tu pars à son bras et bonjour Paris...

Angélique et Julia se regardent, atterrées. Cette connivence est nouvelle entre les deux femmes. Elles n'ont pas besoin de glisser le moindre mot. Elles connaissent les pensées qui leur traversent l'esprit. Elles sont enfermées là avec deux grandes rêveuses, d'irréductibles romantiques.

Bercée par le conte de sa vie inventée, Gisèle s'est assoupie. Son corps repose comme un petit tas de toile et de paille dans un coin de la geôle.

Du bout de sa branche, Julia trace un papillon dans le ciel de la marelle.

« C'est fini, soupire Angélique, tu as enfin renoncé à planter ta branche. Tu vas nous décorer les murs de la geôle. Ça va t'occuper, c'est sûr. »

Un jour, sur le marché, bien avant qu'elle parte en France, Julia avait entendu des Blancs de passage dire que la Guadeloupe ressemblait à un gigantesque papillon. Elle avait ri. Qui peut croire pareille histoire hormis des enfants ou des Blancs ? Pourquoi donc un pays aurait-il la forme d'un papillon ? Est-ce que le Bon Dieu, créant le monde, avait le temps de jouer à ces jeux ? Ce matin-là, elle avait ri de la bêtise des Blancs. Mais, quelques jours plus tard, quand une maîtresse d'école mulâtresse vint lui acheter deux pots de café, Julia ne put résister à l'envie de lui poser la question, juste pour confirmation. Faut dire que les paroles des Blancs ne cessaient de tourner dans son esprit. Est-ce que la Guadeloupe a la forme d'un papillon ? L'institutrice lui répondit que c'est bien la vérité. Julia en fut estomaquée.

Julia se tourne maintenant vers Angélique.

– Tu savais, toi, que la Guadeloupe ressemble à un papillon ?

– Papillon de malheur, crache l'autre.

Les jours s'étirent, longs. La geôle grouille de pensées tristes qui grimpent sur les femmes comme des rats affamés. Aux murs, les papillons que Julia dessine du bout de sa branche semblent parfois battre des ailes, parés à s'envoler. Mais il faut les regarder très longtemps pour s'en persuader.

Daisy a déjà lu et relu son livre tant de fois que les pages sont près de tomber, telles des feuilles mortes à l'automne. L'histoire, qu'elle connaît par cœur et ne cesse de lire, s'efface parfois derrière des images de sa propre existence, comme si les mots, couchés là, mêlaient leurs lettres pour réécrire des morceaux de sa vie. Le roman qu'elle a emporté dans la geôle est une glace où elle se mire. Son existence défile, nue, sans artifice ni bimbeloterie. Daisy revit sa rencontre avec le militaire de carrière, son mariage précipité en 1950, le départ en fanfare pour la France, les enfants courant sur le boulevard Brune, la rue d'Alésia, la rue Didot... Elle revoit le gros lion de Denfert-Rochereau... Entre les lignes de son roman, surgissent des instants fulgurants de vérité, presque palpables, à croire qu'elle retombe d'un coup dans le temps d'avant. Elle revoit le sanatorium, les chaises longues alignées au soleil... Elle revoit l'Indochinoise cuisant le riz, coude à coude avec elle dans l'étroite cuisine de la rue du Général-

Séré-de-Rivières. La petite dame aux yeux bridés, silencieuse et mystérieuse dans ses habits de soie. L'étrangère qui vivait sous son toit, enfermée dans la chambre du fond avec ses garçonnets à qui elle chantait les berceuses de son pays… Daisy se dit qu'elle aurait pu la haïr. Après tout, cette femme était sa rivale. Mais non. Elle ne lui en avait pas voulu.

Et tandis que Julia n'en finit pas de dessiner son pays-papillon sur les murs, Daisy ferme son livre. Elle se lève, arpente la geôle. Elle exécute quelques mouvements de gymnastique pour déraidir son corps. Puis elle décide de coiffer Gisèle, encore une fois. Elle veut se soustraire aux émotions qui affluent au milieu de sa lecture. S'occuper les mains pour distraire son esprit. Daisy n'a pas de peigne. Elle défait la natte et glisse ses doigts dans la chevelure de sa sœur. Elle construit un chignon à étages qui tient, par on ne sait quelle magie, sans pince ni épingle.

Est-ce que Maggy est restée en France après ta guérison ? demande Gisèle d'une petite voix.

Cela fait des jours que les quatre femmes n'ont pas échangé la moindre parole. Depuis qu'Angélique a lâché son papillon de malheur, aucune n'a osé rétorquer. Alors, chacune s'est repliée dans ses pensées qu'elle ressasse à longueur de temps. Du coin de l'œil, Daisy toise Angélique. C'est sûr, l'autre fait semblant de dormir, les bras croisés sur la page arrachée à la *Gazette officielle de la Guadeloupe*, en date du mardi

31 mai 1831. Quels chagrins se cachent derrière la colère de cette femme ? se demande Daisy. Quel genre d'homme était ce Jean-Féréol Pineau qui, à vingt-huit ans, vola la virginité de la petite Angélique, alors âgée de quatorze ans ? Pourquoi a-t-elle lâché ce papillon de malheur qui, sans fin, se cogne aux murs de la geôle, qui, désespérément, tente d'animer les papillons dessinés par Julia ?

Dis-moi, elle est restée ! répète Gisèle.

Oui, Maggy est restée en France, chuchote Daisy. Et moi j'ai suivi mon mari en Afrique, au Congo-Brazzaville… Cette fois, toute la famille est du voyage.

Congo, 1960. Le 15 août, le Congo-Brazzaville accède à l'indépendance, mais la France garde un pied dans la place. Les militaires de l'armée française sont rois en leurs casernes. Peut-être que le temps de France était un purgatoire, se dit Daisy. Peut-être que le paradis se trouve sur la terre africaine. Peut-être que son époux va s'amender, comme l'homme loup du roman, transformé en agneau. Peut-être qu'il apprendra à parler avec sa langue et n'usera plus de sa ceinture sur le dos des enfants.

– C'était comment, le Congo, l'Afrique ? lance Angélique.

Elle n'a pas levé la tête, n'a pas haussé la voix. Elle a voltigé sa question sans même prendre la peine d'ouvrir les yeux.

Daisy ne s'offusque pas. Elle ne va pas chercher querelle à celle qui, plus tôt, les a contraintes au silence. Elle veut la paix.

– Il faisait chaud, bredouille Daisy qui ne sait par où commencer.

– En Guadeloupe, poursuit Angélique, j'ai connu des nègres Congo. Ils venaient de là-bas, libres. Ils arrivaient avec leurs noms d'Afrique, leurs langues et leurs coutumes, tous leurs dieux et un contrat de travail. Ils ont pas eu le temps de connaître l'esclavage, les fers et les jarrets tranchés, mais ils ont vite fait de comprendre qu'ils étaient pas tombés dans un pays béni. Ceux que j'ai côtoyés ont débarqué autour de 1865. Ils venaient toujours pour la même cause : le sucre. À ceux-là, je vous jure, on leur avait fait croire qu'ils pourraient retourner chez eux, juste après un petit temps passé à amasser de l'or. Quand ils sont entrés dans l'enfer de la canne et le vice des crédits sans fin sur les cahiers de la boutique de l'habitation, ils ont cessé de compter leurs sous pour un billet retour… Ils ont appris à parler créole avec nous. Ils ont répudié leurs dieux et commencé à prier Jésus-Christ… Oh, s'en trouvait qui avaient de la nostalgie, qui voulaient pas se résoudre à accepter l'idée qu'ils finiraient leur vie là, piégés comme des crabes dans une ratière… J'ai eu un voisin Congo… Il aimait raconter son pays. Y avait toujours des bêtes sauvages dans ses histoires : éléphants, panthères, léopards, rhinocéros, hippopotames, singes, antilopes, hyènes et chacals, crocodiles et compagnie… Tu en as vu, toi, des bêtes sauvages ?

Daisy se rengorge, prend une inspiration. Elle est flattée de l'intérêt subit que lui manifeste Angélique.

– J'ai vu des singes. Ils descendaient des collines et mangeaient tous les fruits du verger. Là-bas, au Congo, chaque famille de militaire habitait une grande villa et...

– Un jour, continue Angélique comme si elle se parlait à elle, j'ai demandé à mon nègre Congo de me dessiner les animaux d'Afrique. J'avais aucune idée de ce à quoi ils pouvaient ressembler. Combien de mètres ils mesuraient. La quantité de dents qu'ils avaient dans la gueule. S'ils étaient à poil ou à plume... Le bougre a fait du mieux qu'il a pu, mais je crois pas qu'il avait du talent...

– Une fois, j'ai vu un serpent dans la cour, s'exclame Daisy. Le boy venait de le tuer...

– Le Congo parlait d'un grand fleuve... J'ai oublié son nom.... Il le comparait toujours aux rivières insignifiantes qui couraient par chez nous. Il enflait d'orgueil un petit moment et puis, quand il se rendait compte qu'il n'irait jamais plus naviguer sur ses eaux, il se dégonflait et se mettait à pleurer... Pleurer des larmes de femme...

– Je me rappelle qu'on est partis un matin, très tôt, avant que le soleil soit trop chaud. On est partis voir les éléphants qui buvaient l'eau d'une mare...

– Il pleurait, le Congo, mais je l'ai jalousé. J'ai pensé que j'aurais bien voulu être à sa place... Avoir, comme lui, un pays à aimer... Avoir, comme lui, une terre où j'aurais été bien enracinée, une terre traversée d'un grand fleuve, une terre qui aurait vu naître le premier de mes ascendants, le fondateur de ma lignée...

– On a rapporté des défenses d'éléphants de notre séjour au Congo. Je ne sais pas ce qu'elles sont devenues… Sans doute égarées entre deux voyages… Maintenant, c'est interdit de chasser l'éléphant pour son ivoire… À partir d'une défense, un artisan congolais pouvait sculpter un troupeau d'éléphants allant à la queue leu leu sur un pont. Du plus gros au plus petit… Tout en ivoire…

Ils sont là, apparus d'un coup, convoqués de la même façon que les trente qui se sont vu accorder les patentes de liberté. Singe et python, éléphant et antilope, rhinocéros et crocodile, hyène et chacal, léopard et panthère, hippopotame et compagnie… Si le Bon Dieu leur avait donné la parole, ils demanderaient ce qu'ils fichent là, enfermés dans la geôle, avec ces quatre femmes.

Angélique s'émerveille tandis que Daisy les nomme l'un après l'autre.

– Quel enchantement ! souffle Angélique. Assurément, le Congo ne savait pas dessiner.

Elle déambule parmi les animaux. Ils sont dociles et inoffensifs comme le bestiaire de l'art naïf haïtien. Ils se laissent caresser sans barrir ni grogner ni siffler.

– Ces bêtes-là sont tombées d'un paradis, murmure Gisèle à la hyène qui lui sourit de toutes ses dents.

Le petit singe a sauté dans les bras de Julia. Il lui cherche des poux dans la tête et Julia se prend à penser au Déluge. Quand Noé rassemblait les animaux dans sa grande arche, le

regardaient-ils avec ces mêmes yeux innocents, si confiants ?
En ce temps reculé, y avait tellement de barbarie sur la terre
que le Seigneur avait décidé d'en finir avec le genre humain.
Noyer tous les hommes ad vitam aeternam. Les exterminer
une bonne fois, car y avait rien à tirer de cette espèce-là. Ils
étaient incorrigibles, toujours parés pour le Mal et jamais
pressés pour le Bien. Toujours à guerroyer et s'entre-tuer.
Toujours à se déclarer les maîtres de quelque chose... Maîtres
d'un territoire, maîtres d'autres hommes, maîtres de l'univers... Toujours occupés à démolir Son œuvre. Abattre les
forêts, dresser barricades et frontières, creuser les tranchées
de la guerre, féconder la terre de leurs immondices, souiller
les eaux. Et toujours à comploter avec le Diable pour asservir
les femmes, avilir les enfants...

Le petit singe perché sur son épaule, Julia se tourne vers
Daisy :

– Est-ce qu'il y a eu un autre déluge après ma mort ? lui
demande-t-elle.

Ses yeux brillent d'un éclat troublant.

– Un déluge ! Quel déluge ? fait Daisy.

– Général Micro... Papa de Gaulle... Je me souviens...
Il avait dit à la radio : après moi, le déluge...

Daisy ouvre de grands yeux. Elle éclate de rire. Et ses rires
effraient les animaux qui se regroupent dans un coin de la
geôle. Le charme est rompu, ils traversent le mur et disparaissent, passe-muraille.

Aussitôt, Angélique retrouve son masque morne. Elle a regardé s'évanouir les animaux d'Afrique ainsi que les trente affranchis par le chevalier Du Lyon de Rochefort. Elle comprend qu'ici tout est mirage et cinéma. Il ne faut s'étonner de rien. Cependant, elle n'en a pas encore fini avec Daisy et repart à la charge.

– Est-ce que tu t'es sentie chez toi, en Afrique ? Est-ce que la terre te parlait ? As-tu ressenti les liens qui te liaient à cette terre ? Avais-tu conscience que tu foulais la terre de tes ancêtres ?

Daisy secoue la tête. Non, elle n'a rien éprouvé de tout cela. Elle était une étrangère là-bas. Une femme de militaire jouissant de ses petits privilèges. Une Française qui avait la peau juste un peu plus colorée que les autres femmes du quartier français. Café au lait très clair… Non, elle doit l'avouer, à aucun moment elle n'a songé à ses ancêtres, aux racines africaines.

Sur les murs, épinglés là comme la collection d'un entomologiste, les papillons de Julia s'écaillent. L'idée d'un envol ne les effleure même plus. Leurs contours s'effacent au fur et à mesure. Leurs ailes ont cessé de frémir et Julia se console en mâchonnant sa branche, sans doute pour en tirer quelque sève au goût de son pays.

1961. Le séjour au Congo s'achève.
Daisy se souvient…

Ils embarquent sur un bateau *Mermoz* qui longe et remonte la côte africaine jusqu'au Sénégal. Le Pater a vécu là autrefois, avant son mariage. Il profite de la brève escale à Dakar pour louer un taxi qui emmène toute la petite famille à Rufisque. La mère sénégalaise de Paul vit là. Paul a quatorze ans. Cela fait douze années qu'il n'a pas vu sa mère. Paul a deux mères. Le temps de quelques embrassades et il faut déjà repartir.

Daisy se souvient…

Un paquebot nommé *Antilles* les ramène au pays pour trois petits mois. Congé de fin de campagne. Puis c'est le retour en France. Julia est du voyage, mais Lisa reste en Guadeloupe, confiée à une marraine, pour d'obscures raisons qu'on ne raconte pas aux enfants. Ils échouent dans la banlieue parisienne, au Kremlin-Bicêtre, à l'ombre d'un fort en ruine, sur un coteau boisé hérissé d'immeubles blancs dévolus aux militaires. L'appartement se situe au rez-de-chaussée. De la fenêtre de la cuisine, on voit Paris, la tour Eiffel et le Sacré-Cœur de Montmartre. Ici, pas de nègres et pas de savanes à l'horizon. Les pelouses sont toujours vertes et rasées court par des jardiniers invisibles. Plus bas, en descendant vers la porte d'Italie, il y a le marché et l'hôpital.

1962. Lisa revient avec un grand corps maigre, un long cou et des pieds immenses. La marraine l'a renvoyée. Paraît que Lisa aurait volé la cuisse d'un poulet rôti. Pour se défendre, Lisa avait accusé un rat qui passait par là. La marraine n'aime ni les conteuses ni les menteuses. Elle n'a jamais vu le moindre rat rôder dans sa cuisine. « Eh bien ! Mademoiselle Lisa, les jeux sont faits ! Je vous retourne dans votre famille en France, avant que vous ne dévalisiez ma boîte à bijoux ! Qui vole un œuf vole un bœuf... » Le temps de se réhabituer à Lisa et on la baptise la Girafe ou la Grande Gigasse, selon les jours. Dans la semaine qui suit, le Pater annonce qu'il embarque pour Tahiti. Daisy ne bronche pas. Il n'y a pas à répliquer ou donner son avis. La nuit, dans les draps, elle le contente, mais au grand jour, elle est comme la marmaille : un petit soldat qui obéit aux ordres. Il l'a juste informée, afin qu'elle prépare sa valise. Il part seul. La famille, il la laisse à Daisy. Il part pour un an, deux ans, trois ans peut-être... Il reviendra de temps en temps, par surprise... C'est un militaire voyageur. Il la laisse dans l'appartement du Kremlin-Bicêtre avec Julia et les cinq enfants. Bientôt six...

Julia se souvient... Elle n'a rien oublié des jours passés là-bas, de l'autre côté de la mer. Elle se souvient de chaque hiver des années Tahiti. La nuit qui se prolonge à l'infini dans le matin et le soir qui déboule à quatre heures de l'après-midi. Elle aurait pu aimer le pays des Blancs-France, mais elle se languit de son bourreau. Ou plutôt, elle s'inquiète pour lui, comme s'il était l'un des vieux arbres de ses bois chéris.

Daisy la revoit... Julia dépérit sur sa couche. La vieille femme ne veut ni boire ni manger. Elle demande juste la permission de rentrer chez elle, finir son restant de vie auprès de son époux.

— Alors, toi aussi, commence Angélique... Toi aussi, tu aurais pu te laisser mourir de chagrin pour un homme. Si on ne t'avait pas réexpédiée dare-dare en Guadeloupe, tu serais morte avant l'heure, emportée par le chagrin.

Angélique rit. Elle rit de toute âme. Elle rit pour réveiller de leur grand sommeil toutes les femmes esclaves de leur amour. Elle rit tant et plus et finit par rouler par terre, chavirée dans ses rires.

— C'était pas de l'amour, peste Julia. C'était de la charité chrétienne... Et puis, si la mort venait me chercher, je voulais pas qu'elle me prenne en France.

Julia a toujours su qu'elle retournerait au ventre de la terre. Elle ne craint pas les vers et les asticots qui se repaîtront de sa chair. Elle croit en Dieu et sait que son âme quittera son corps au jour du dernier souffle. Toutes les créatures du Seigneur ont besoin de se nourrir, même les françaises. Mais elle préfère que ses entrailles servent de déjeuner aux fourmis créoles et aux petites bestioles des îles créées par le Bon Dieu. Elle ne veut pas mourir en France.

— C'était une dépression, précise Daisy. Le docteur l'a dit. Tu avais le mal du pays et tu as fait une dépression.

— Et comment ça se fait que j'ai été guérie dès que j'ai posé le pied en Guadeloupe... Hein ! Une dépression, ça disparaît pas comme ça ! Je suis pas guère allée à l'école, mais je sais de quoi je cause…

– Tu restais toute la journée fourrée dans ton lit…

Julia se souvient… Elle revoit la chambre des filles où elle dort avec Lisa et Gisèle. L'étroit couloir entre les lits superposés. L'armoire de bois clair à portes coulissantes. Le petit secrétaire de Gisèle fiché dessous la fenêtre. La pelouse verte interdite derrière la vitre.

Julia se souvient… Mars 1963. Daisy est rentrée de l'hôpital avec son bébé. C'est une petite fille qui s'appelle Suzy. Le chanceux est loin, à Tahiti. Il revient quelquefois, mais il ne reste guère.

Julia se souvient… Gisèle a sept ans. La nuit venue, l'enfant crie dans ses cauchemars. Elle se réveille en sursaut et court se réfugier dans les draps de Julia. Elle pleure et dit qu'elle tombe dans un trou noir. Elle dit que sa chute n'a pas de fin. Son cœur bat vite et fort. Ses lèvres sont sèches.

Daisy n'a jamais eu connaissance de ces choses. Elle retient son souffle.

Julia se souvient… La nuit venue, dit-elle, ta fille Gisèle jurait que les lits superposés se transformaient en barricades dressées par les esprits sortis tout droit de son livre, *Contes et Légendes des Antilles*.

Daisy revoit aussitôt la couverture blanche, cartonnée, brochée de fils d'or. Gisèle le serrait contre son cœur, à croire qu'il avait le pouvoir de la transporter là-bas, aux îles.

La nuit, poursuit Julia, elle me racontait que les personnages s'extirpaient des pages, charroyant des planches et des bouts de ferraille sauvés d'un méchant cyclone. Elle restait longtemps à veiller leurs allées et venues silencieuses et attendre voir si elle croisait le regard jaune de l'un d'entre eux. Elle disait qu'elle aurait pu surprendre un visage qu'elle aurait tenté de dessiner, le lendemain. Elle disait encore que ces personnes-là étaient de ses amis. Ils voulaient la mettre à l'abri, la protéger de tous ses ennemis, tous les enfants blancs qui la traitaient de négresse, bamboula et compagnie… Je la prenais sous mon aile et elle disait Man Ya, Man Ya, Man Ya… Elle répétait ces mots et les gardait en bouche comme s'ils étaient des sucres d'orge. Elle disait parfois que notre chambre était une geôle et nous autres des prisonnières purgeant des peines si longues que nous en avions même oublié nos crimes passés. Elle disait qu'elle avait peur de quelque chose, que c'était un secret qu'elle n'avait pas le droit de révéler.

Alors, pour la consoler, Julia raconte son pays.

Elle vient de loin, Julia. D'un pays si petit qu'invisible sur ces grandes cartes enfermées dans les encyclopédies qui trônent au salon, sur les rayonnages de la bibliothèque, entre deux mandibules de requins. Une île papillon perdue dans la mer, parmi une kyrielle d'autres îles aux formes les plus loufoques. Certains vieux-corps assurent qu'à l'origine, ces terres étaient des breloques d'or et de pierres précieuses. Chacune représentait une créature de la faune ou de la flore.

Il y avait des animaux de la jungle africaine aux yeux de jade, des insectes surprenants habillés d'écailles taillées dans l'améthyste, des oiseaux parés de plumes rubis, et des fleurs dont la corolle était sertie de saphirs... Ces précieux bijoux venaient d'un collier ayant appartenu à l'un des dieux qui, du ciel, avait présidé à la création du monde. Ce dieu était un grand colérique, le dieu des volcans et des tremblements de terre. Un jour, agacé par trois nuages et un brin de vent qui soufflait à ses oreilles, il avait arraché son collier et il l'avait jeté sur la terre. Les breloques avaient longtemps dérivé avant de s'amarrer quelque part, au mitan des eaux bleues. Après des siècles, le temps d'un battement de cils, elles étaient devenues des îles. Et il était vraiment difficile de croire qu'elles avaient été autrefois des oiseaux, des animaux de la jungle, des insectes ou des fleurs. Mais, battues et rebattues par les vents, rongées par le sel et les lames voraces de l'océan, elles s'étaient émoussées au fil des ans. La plupart s'étaient gonflées de colère et le soleil avait vu surgir de leurs ventres des volcans et des eaux furieuses. Dans ce chaos, beaucoup avaient perdu un pétale, une patte, une oreille, la tête ou quelques-unes de leurs plus belles plumes. Par on ne sait quel miracle, l'île Guadeloupe avait gardé intactes ses deux ailes de papillon. Cela n'avait pas été sans mal. Certains jours – ce qui l'avait sauvé du pire – elle avait dû s'arc-bouter contre les récifs. Elle avait replié ses ailes et les avait rassemblées pour éviter qu'elles ne soient emportées par les ouragans furibards qui, sans préavis, déboulant du fin fond de l'horizon, démembraient les îles voisines les unes après les autres...

Tandis que les yeux de l'enfant papillonnent, Julia murmure : « Un jour, pitit an mwen, tu retourneras en Guadeloupe. Un jour, tes pieds toucheront de nouveau le sol de ton pays. À ce moment-là, pense bien que tu es en train de marcher sur les ailes du plus grand papillon du monde et fais bien attention à ne pas les salir. »

Elle vient de loin, Julia. Son pays, sa terre natale est un gigantesque papillon aux ailes froissées, un nid d'ouate et de fines écailles brisées. Et elle en parle comme d'une mère qu'il lui tarde de retrouver.

Julia se souvient...

Le soir, avant de se coucher, il y a le rituel de la prière-du-retour-au-pays. « Mon Dieu ! Ô Tout-Puissant ! Fais-nous retourner en Guadeloupe ! » Agenouillée à son côté au bord de son lit, les coudes plantés dans le matelas et les mains jointes, Gisèle répète après elle la formule magique. Julia garde toujours la tête baissée et les yeux clos durant ces incantations. « Mon Dieu ! Ô Tout-Puissant ! Fais-nous retourner en Guadeloupe ! » Alors Gisèle la regarde à la dérobée, les yeux en biais. Qu'est-ce qu'elle voit ? Une peau couleur de terre. Une terre grasse et noire qu'on dirait marquée de sillons anciens, profonds, traces de vieux labours. Un visage et un corps tout en creux et en bosses. Des cheveux, paille de fer, qui frisottent et grisonnent.

Elle vient de très loin, Julia. Et…

– C'était quoi ce grand secret qui la faisait tomber dans des trous noirs ? demande Daisy.

– Elle pouvait pas en parler, répond Julia. J'ai jamais su de quoi il en retournait.

– Pourquoi tu lui as donné le prénom de ta sœur défunte ? enchaîne Angélique. Tu n'avais pas peur de la voir mourir du mal d'amour à vingt-sept ans ?

– J'ai donné ce prénom à ma seconde fille en mémoire de ma sœur, tant aimée et trop tôt disparue.

Angélique acquiesce.

– Personne ne peut me reprocher d'avoir aimé ma sœur. Je ne me consolais pas de sa perte. Chaque fois que je retrouvais Maggy, on parlait de Gisèle. Toutes nos conversations finissaient toujours par nous mener à Gisèle. C'était une manière de la faire revenir parmi les vivants.

Les années Tahiti. Le temps file.

Février 1965. Elle est bien loin, l'époque où l'empire colonial français comptait dans son escarcelle la belle Indochine. Adieu, Tonkin, Cochinchine, Annam… Les Français sont partis. L'Amérique est entrée en guerre au Viêt-Nam. Face aux images de combats que diffuse l'ORTF, Daisy songe à la femme aux yeux bridés, au bambin niché au creux de son épaule. Encore et toujours la guerre. Encore et toujours la barbarie. Que sont-ils devenus ? se demande Daisy.

Le Pater a-t-il des nouvelles ? Que fait-il à Tahiti ? Lors de ses escales à Paris, il raconte qu'il pêche le requin, mange du poisson cru, boit de l'eau de coco au petit déjeuner … La vie est belle à Papeete à l'ombre des tikis et des danseuses de tamouré… Sûrement qu'il a planté une nouvelle branche familiale dans le Pacifique, se dit Daisy. Après l'Asie, où il a marqué son territoire et semé des enfants, il tente peut-être de voir à quoi pourrait ressembler le fils d'un négro des Amériques françaises avec une vahiné de la Polynésie. Il possède à lui seul un empire.

– Le 21 février, un nègre est assassiné par d'autres nègres dans un temple de Harlem. Il s'appelle Malcolm X. La télévision montre des images fascinantes. Les enfants assistent à la révolte des Noirs d'Amérique. Quartiers en flammes, guérillas urbaines, brancards sanglants et sirènes hurlantes. Les Noirs se tuent entre eux parce qu'ils sont persécutés par des Blancs, explique Daisy. Là-bas, les Noirs sont victimes de lois ségrégationnistes. Daisy se souvient… Dans un de leurs jeux, Gisèle et Élie sont des petits Américains noirs. Gisèle X et Élie X manifestent leur colère. Ils réclament les mêmes droits que les Blancs. Ils veulent aller dans les mêmes écoles, fréquenter les mêmes magasins, boire à l'eau des mêmes buvettes. Ils n'acceptent plus qu'on les traite de négros.

– C'est peut-être à cette époque que ma fille Gisèle s'est mise à écrire, déclare Daisy.

– Tu te rappelles, Julia… Elle ouvrait un cahier sur la table de la salle à manger. Quand elle cherchait l'inspiration, elle suçait le bout de son porte-plume. Élie et Rémi se coursaient autour de la table, cow-boy et Indien, gendarme et voleur... Gisèle ne semblait pas les entendre, non plus les voir. Son regard était vide. Son corps était bien là, assis sage sur une chaise. Mais son esprit voguait ailleurs, loin, très loin du petit appartement du Kremlin-Bicêtre.

– Elle voulait m'apprendre à écrire. C'était un genre de lubie qui la saisissait à tous moments. Elle traçait des lettres sur son ardoise. Elle me suppliait de les lire. « C'est facile, Man Ya ! C'est seulement ton nom qu'est marqué là. » Des fois, elle prenait une voix très douce pour me couillonner. Alors, je voyais les lettres se tordre et il se formait une ribambelle de croix blanches sur l'ardoise noire. Ma tête partait. Je songeais plus qu'à ces deux croix que j'avais faites antan, sur le registre de l'état civil, sur la carte d'identité française. D'autres fois, elle se faisait sévère. Et j'avais beau lui dire que c'était trop tard, que le temps d'apprendre à déchiffrer ce monde-là était passé pour moi, elle s'obstinait. Elle jurait que c'était pas trop tard. Elle disait : « Tu vas vivre cent ans, deux cents ans... Un jour, tu seras bien contente de savoir lire et écrire... » Ta fille, elle croyait que j'étais éternelle.

– Son regard traversait les mandibules des requins et les colliers de coquillages accrochés aux murs. Elle écrivait trois mots. Puis elle levait de nouveau la tête, fixait un tableau. Elle plongeait dans les eaux de gouache verte d'une rivière d'Asie. Elle s'enfonçait dans une forêt africaine. Elle regardait les tikis et le bouddha ventru posés sur le buffet et j'avais l'impression que les statuettes lui racontaient des histoires… Des histoires qui emplissaient ensuite les pages de son cahier.

– J'ai jamais pu apprendre à écrire. Même pas Julia Pineau… Même pas Julia Roman…

– Elle aimait lire et écrire. Je ne sais pas si c'est moi qui lui ai donné le goût de la lecture, enchaîne Daisy. Peut-être bien… J'allais souvent à la bibliothèque. J'étais toujours en train de lire un roman… Il y avait beaucoup de livres à la maison, toutes sortes d'encyclopédies que le militaire commandait sur des catalogues… Des collections de livres reliés qu'il achetait aux représentants. Balzac et Zola, Racine et Corneille, La Fontaine… Il voulait que ses enfants soient instruits.

– J'ai jamais pu apprendre à écrire, répète Julia.

– Tu te souviens, Gisèle écrivait un journal. Elle écrivait notre histoire, jour après jour. Et personne n'avait le droit de lire les mots qu'elle couchait dans son petit cahier vert. Tu te souviens, elle le cachait en mille endroits secrets… Entre les draps au fond d'une commode, dessus son armoire, dessous son matelas, dans des boîtes à chaussures, des vieux sacs… Avec ses mots, elle racontait le quotidien, les coups et châtiments du Pater, le silence imposé à table, les insultes que lui infligeaient les enfants de son école… Et puis elle avait de l'imagination… Sur les pages de son journal, elle s'inventait une vie rêvée loin des quatre saisons de France. Elle inventait aussi un monde tranquille sans guerre ni combats. Un monde neuf guéri de ses plaies… Et sous sa plume, notre histoire familiale se mêlait aux fléaux de l'humanité qui défilaient sur le petit écran. Elle écrivait chacune de ses pensées, chacun de ses rêves…

1965 s'achève sur un coup d'État au Congo. Le général Mobutu s'installe au pouvoir pour de longues années. En France, le général de Gaulle est élu président de la République. Le 24 décembre, au Kremlin-Bicêtre, les enfants emballent des cadeaux que le Pater ira distribuer à d'autres enfants, à son fils d'Indochine et à ses frères et sœurs d'adoption, qui l'appellent tous Tonton. Il passera Noël avec eux, puis retournera dans le Pacifique.

1966. Explosion de la première bombe thermonucléaire française dans l'archipel des Tuamotu, sur l'atoll de Fangataufa, en Polynésie. Peut-être que le Pater est parti en mer, ce jour-là… Peut-être qu'il pêchait un gros requin lorsque la bombe a explosé, à un jet de pierre de son bateau. Peut-être qu'il ne reviendra pas… Mais c'est oublier que Julia l'a surnommé le chanceux.

Il revient, avec ses malles au trésor et ses cantines de fer et de nouvelles mandibules de requins.

Il revient avec ses châtiments, ses sautes d'humeur et ses regards noirs.

Et il ne part plus.

Les tranquilles années Tahiti s'achèvent.

Il inaugure un atelier de menuiserie dans la cave étroite de l'immeuble. En cet atelier clandestin, Rémi et Élie sont ses apprentis. La machine à bois rugit et grogne et pousse des cris aigus qui font trembler tous les étages. À mi-voix, les voisins se plaignent du bruit. Il n'en a rien à foutre. Il fabrique des meubles à la cave.

Il ordonne à Julia de l'appeler Monsieur Pineau.

Il se cache sous les tables et dans les armoires, pour surprendre des conversations, entendre ce qu'on dit de lui lorsqu'il est censé être sorti. Il surgit comme un diable de sa boîte et assène les coups.

Il a une technique pour ouvrir la porte d'entrée de l'appartement. On n'entend pas sa clé. On n'entend pas la porte s'ouvrir ni se refermer. Il n'a pas d'heure. Il marche à tâtons dans le couloir. Il écoute aux portes. Il fouille dans les sacs et les placards, à la recherche d'indices, d'écrits coupables, d'une ou deux preuves de nos vices cachés.

Il reçoit ses amis militaires au salon. Le bataillon domestique se tient au garde-à-vous…

Il découvre le cahier vert, le journal de Gisèle. Il est assis sur une chaise de la salle à manger. Il tourne les pages du cahier vert posé devant lui sur la table. Il neige dehors. C'est l'hiver. Il lit ce que personne ne doit lire. Il lit, ostensiblement. Il lit, les mâchoires serrées, les sourcils froncés, la mine atterrée. Il lit les pensées secrètes et les mots de colère écrits par sa fille de dix ans. Il lit qu'on le surnomme le Pater, qu'on rigole tant et plus lorsqu'il n'est pas dans les parages… Il lit qu'on attend son départ pour le bout du monde… Il neige dehors et, dans l'appartement du Kremlin-Bicêtre, un grand froid s'est installé. Chacun tremble et promet à l'écrivain en herbe des volées de bois vert, des coups de ceinturon militaire et un dos marqué pour l'éternité… Le Pater referme le cahier. Il ne hèle pas le nom de Gisèle. Il repousse sa chaise et lance à la cantonade qu'il est entouré de serpents, de chiens, de vermine… Chacun retient son souffle, présageant que les coups vont tomber, lourds et épais comme la neige sur les reins de Gisèle, mais il n'ajoute pas un mot. Il se campe devant une fenêtre et regarde le tapis blanc qui recouvre les pelouses vertes de la cité. Et il reste planté là toute la matinée, alors que les prières s'enchaînent dans la chambre des filles et qu'à la cuisine Daisy se fait petite souris. Il ressemble à l'un de ces arbres noirs dehors qui attendent les beaux jours du printemps. Il ressemble à un tiki de Tahiti, une statue de mahogany fendue dans son bois, attaquée par la vermine et les termites… Un jour passe. Puis deux, trois… Par on ne sait quel mystère, Gisèle échappe aux coups. Le cahier vert est abandonné, les mots laissés en friche. Elle promet à ses frères de ne plus écrire d'histoires dans lesquelles les gens se reconnaîtront…

1967. Le 18 mars, le *Torre Canyon* s'est échoué au large des Cornouailles. Éventré, il déverse sa bile noire sur les côtes de Bretagne.

Julia se souvient… Elle voit les oiseaux morts à la télévision, les ailes engluées de pétrole. Elle fait des cauchemars. Elle est un oiseau à l'agonie. Son bec bave un empois noir.

Ses plumes sont emprisonnées dans un migan de colle charbonneux. Elle essaie de déployer ses ailes, de les secouer. Elle s'épuise un peu plus à chaque tentative. Elle veut appeler au secours. Du mitan de son ventre, elle rassemble ses forces. Pas un cri ne sort de son gosier tout engoué de glu épaisse et noire. Elle étouffe. Ça y est ! C'est fini ! Elle va mourir en France. Une nouvelle fois, Julia supplie le Bon Dieu de la renvoyer en Guadeloupe. Une ultime fois, elle implore M. Pineau de lui donner son billet de retour au pays. Elle ne mange plus. À sa manière, elle fait de la résistance. Elle ne quitte plus sa couche. Elle ne cause plus à quiconque. Elle ne boit plus. Le médecin invité à son chevet prescrit des médicaments de toutes les couleurs de l'arc-en-ciel. Julia s'enfonce un peu plus dans le creux de son lit. Elle ne parle pas mais ses yeux disent au chanceux qu'elle veut retourner. M. Pineau se lasse. Un jour, il la renvoie enfin. Elle part avec un cousin de passage. Les enfants pleurent tandis que Julia prophétise qu'ils seront bientôt en Guadeloupe. En rêve, elle les a vus dedans sa case de Routhiers. Elle les a vus grimper aux arbres de son jardin. Elle les a vus courir et danser sur les ailes de l'île papillon…

1968.
Avril. Assassinat du pasteur Martin Luther King à Memphis
Mai. La France est paralysée. « La réforme, oui, la chienlit, non ! » scande le général de Gaulle.

Octobre. Aux jeux Olympiques de Mexico, les athlètes noirs Tommie Smith et John Carlos lèvent ensemble leur poing ganté de noir et baissent les yeux devant le drapeau américain.

Décembre. Paris sous la neige. Le Pater a lâché le mot : mutation. Il va demander sa mutation aux Antilles. Il en a assez de ces Français qui chahutent le Sauveur de la France.

1969.

Les saisons défilent dans l'attente du départ.

Tandis que Daisy a égrené les années jusqu'au retour aux Antilles, le 10 janvier 1970, aucune des femmes ne l'a interrompue. Gisèle semble assoupie dans son coin. Songeuse, Angélique la regarde. Et Julia revoit ce jour de juillet 1970 où les enfants ont surgi devant sa porte. Elle répète sans cesse : « An té di zot sa ! An té di zot sa ! Je vous avais bien dit que vous alliez revenir dans votre pays Guadeloupe ! Je vous l'avais bien dit... »

Daisy reprend son livre. Elle se sent légère. Elle a raconté son histoire. Et c'est comme si elle s'était lavée de ses années de mariage. Comme si elle s'était débarrassée des oripeaux de sa vie de femme de militaire, de ce temps où ses plus beaux rêves s'émoussaient à l'ombre d'un tyran. Elle a résisté. Elle a tenu bon. Heureusement que j'avais mes enfants, se dit à elle-même. Heureusement que j'avais mes romans...

Angélique

Moi aussi, je suis veuve.

Moi aussi, j'aurais pu m'asseoir dans une berceuse et attendre que la mort vienne me haler.

Moi aussi, j'aurais pu mourir du mal d'amour, sauf que je sais pas ce que c'est, l'amour.

Toute ma vie, j'ai dû me battre.

Moi aussi, j'aurais pu voyager à travers le monde, sauf que je suis née en un temps où les nègres avaient droit qu'à un seul genre de voyage. Un voyage pour l'enfer. Un voyage pour le pays d'où l'on ne revient pas. Un voyage pour l'esclavage.

Toute ma vie, j'ai dû me battre...

Moi aussi, j'aurais pu avoir un jardin qui m'aurait consolée. Et croire que j'habitais un pays paré de belles ailes de papillon. Un pays que j'aurais dit mien et que j'aurais aimé.

Mais j'ai toujours su que cette terre était pas la propriété des nègres. Cette terre Guadeloupe, elle appartenait aux maîtres, aux Blancs et aux libres de couleur qui possédaient des esclaves aussi. Et en ces temps-là, les nègres de ma condition ne s'appartenaient même pas à eux-mêmes… Alors il leur serait pas venu à l'esprit de posséder un bout de terre.

Toute ma chienne de vie, j'ai dû me battre.

Moi aussi, j'aurais pu lire des romans et passer ma vie dans les livres, sauf que je suis pas allée à l'école…

Les lèvres pincées, Daisy baisse les yeux. Gisèle s'étire tandis que Julia sourit à l'écho des paroles d'Angélique.

Je suis née en 1792 aux îles des Saintes. Ma mère était esclave domestique aux Trois-Rivières. Elle m'a faite esclave. J'ai pas connu mon père. Fille naturelle dont la mère est décédée, c'est ce qu'ils ont dit de moi le jour de mon mariage. C'est ce que l'officier de l'état civil a déclaré en la mairie de Basse-Terre, l'après-midi où mon Sieur Jean-Féréol Pineau m'a cédé son nom en grande pompe. Ça faisait trente ans qu'on était ensemble. Trente ans de concubinage et cinq enfants. J'avais quarante-cinq ans déjà. Et Virginie, ma fille aînée, en avait trente. On nous prenait pour des sœurs alors que j'étais sa mère.

Mais il s'en est passé du temps avant que je prenne ce fichu nom : Pineau. Que je le prenne comme un bien que j'avais gagné et cent fois mérité. Un bien pour un mal.

Avant la guerre de Guadeloupe, ma mère, Rose, était cuisinière et femme de chambre et bonne à tout faire chez la Dame Véronique sa maîtresse, sur le continent Guadeloupe, aux Trois-Rivières.

La Dame Véronique, c'était une mulâtresse. Une libre de couleur. Dans ses ascendants, y avait assurément eu des esclaves, des Bossales, des nègres d'Afrique, mais elle trouvait normal de posséder des esclaves. C'était ainsi. Y avait rien à redire. Elle était dans son bon droit. Du côté des possédants avec son époux, le Sieur Jean-Baptiste Pineau.

Je suis née en 1792.

Je suis née au beau mitan de la guerre, au temps où les Anglais et les Français se battaient comme des chiens pour les îles. Au temps de la Révolution française. Au temps où tous les nègres avaient d'un coup été déclarés libres pour la première fois.

Quand le Sieur Victor Hugues arrive avec son décret du 16 pluviôse de l'an II, il reprend l'île aux Anglais et met tous les Blancs en déroute. Y en a tant et tant qui fuient vers la Martinique et même jusqu'à Saint-Domingue. L'esclavage aboli, les nègres désertent les plantations. Beaucoup se font enrôler dans l'armée républicaine. À Pointe-à-Pitre, rebaptisé Port-la-Liberté, les colons royalistes sont vitement jugés par un tribunal révolutionnaire, et puis guillotinés le même jour, accusés d'avoir comploté avec ces satanés Anglais. Paraîtrait que leurs têtes tranchées roulaient dans les dalots et que la mer était devenue rouge sang et que le restant de leur corps était lancé aux gueules béantes des requins.

Cette année-là, 1794, ma mère Rose quitte Dame Véronique et le Sieur Jean-Baptiste pour jouir de sa liberté aux îles des Saintes. Elle retourne à Terre-de-Bas où elle a vécu sa jeunesse avant d'être revendue par sa cousine à la Dame Véronique. Faut dire qu'elle avait là-bas toute sa famille, ma mère... Mais c'était pas si simple. Cette liberté, elle était chiche pour les anciens esclaves. Ceux-là mêmes qui nous avaient déclarés libres ont instauré le travail forcé. Ils disaient que c'était guère bon pour les nègres de pas travailler. Sur les routes, y avait trop de vagabonds qui savaient pas quoi faire de leurs bras et qu'étaient tentés par le Diable, qu'ils disaient. Des nègres oisifs et driveurs. Des traîtres à la République qui vivaient de rapines et erraient, la bride sur le cou. Des nègres ingrats qui mettaient en péril l'économie du pays Guadeloupe, la prospérité de la France. Aussi, on aurait cru que cette histoire de liberté en avait rendu fous plus d'un. Ils étaient comme enivrés de liberté, se formaient en meutes sauvages, pillaient et incendiaient les maisons de leurs maîtres d'antan, foutaient le feu aux plantations.

Fallait retourner sur les habitations. Libres, fallait se présenter devant les anciens maîtres. C'était la loi. Libres, fallait reprendre le travail, pour le bien de la colonie. C'est fini, l'esclavage... Les esclaves deviennent des cultivateurs attachés aux plantations. C'est fini, l'esclavage, qu'ils disaient... Les captifs d'autrefois sont dorénavant baptisés nouveaux citoyens. Et Victor Hugues promet qu'ils seront traités en vrais travailleurs, même les nègres bossales, et qu'ils recevront un salaire pour leur peine, et de bons soins et une nourriture du dimanche, grasse et riche, chaque jour de la semaine. C'est fini, l'esclavage…

Un jour, Dame Véronique a vu Rose se ramener aux Trois-Rivières. Elle a rien dit. Elle a juste souri et gloussé, pour faire entendre à ma mère que les esclaves comme les chiens revenaient toujours à la niche, aux pieds de leurs maîtres, là même ou y avait de quoi les nourrir. J'avais cinq ans. On était en 1797. Toujours la guerre. Chaque matin, on débitait des histoires de tueries ici et là, assassinats de planteurs, massacres de nègres, cadavres sans noms ni visages retrouvés sur une plage ou bien jetés au bas d'une falaise. On racontait que les Anglais tentaient de se réapproprier l'île Guadeloupe, qu'ils s'étaient acoquinés avec les colons royalistes exilés à la Martinique et qu'ils allaient débarquer. On faisait courir le bruit que des esclaves rebelles des îles voisines s'apprêtaient à prendre le pouvoir en Guadeloupe. On brandissait les drapeaux macabres de pirates et corsaires espagnols et hollandais, boucaniers sanguinaires à jambes de bois et gueules de travers. Personne ne savait guère d'où venaient ces nouvelles, mais elles faisaient trembler Dame Véronique qui en discutait à mi-voix avec ses comparses.

Dame Véronique Pineau, c'était une grande madame… L'épouse du Sieur Jean-Baptiste Pineau, mariée le 21 brumaire de l'an IX, en 1800, devant Dieu et les hommes, maîtresse de l'habitation plus que son vieil époux cacochyme. Une libre de couleur à la tête d'un cheptel de « cultivateurs attachés » à sa plantation des Trois-Rivières.

Dame Véronique… Une femme autoritaire et pleutre à la fois, imbue de sa personne.

Angélique se souvient…

Elle a sept ans. Dame Véronique vient inspecter les cuisines. Angélique se cache dans les jupes de Rose, sa mère. Elle craint tellement la Dame Véronique qu'elle n'a jamais croisé son regard. Angélique est une petite main en cuisine. Elle épluche les oignons qui la font pleurer. Elle nettoie des marmites plus grosses que sa tête. Elle écosse les pois verts, arrose les viandes, essuie les verres. Angélique s'enfonce et s'efface dans un coin sombre de la pièce, entre un garde-manger et un grand placard. Dame Véronique ne la voit pas. Elle sait que son esclave Rose tient sa fille auprès d'elle. Mais elle ignore l'enfant. Dans sa grande bonté, elle accepte qu'Angélique traîne dans les jupes des bonnes. Que voulez-vous, c'est une bouche inutile, mais elle la nourrit gracieusement car elle porte en estime sa servante. Angélique a sept ans. Elle croit qu'elle est invisible. « Si Dame Véronique décide de t'envoyer avec les nègres des champs, je pourrai pas l'en empêcher ! chuchote Rose. Dame Véronique, c'est la maîtresse. On est là par son bon vouloir… Alors, Angélique, te fais pas remarquer, te fais pas trop voir… »

Julia hoche la tête. Elle connaît par cœur ces injonctions. Y a des foules de gens comme ça qui blessent les yeux des autres et qui doivent disparaître de leur paysage. Des personnes indésirables qu'on tolère à peine, qu'on juge insignifiantes, inutiles, insultantes pour le genre humain. Des femmes et des enfants qui, toute leur vie, doivent baisser la tête, courber l'échine, raser les murs. Et lorsqu'ils oublient de vous ignorer, ceux qui refusent jusqu'à votre existence posent sur vous des regards éloquents. Leurs yeux lancent des jurons et des crachats. Alors vous mesurez la hauteur de la haine et du mépris. Vous n'êtes rien d'autre que de la fiente de volaille, un tas de purin, une baille putride.

En 1802, Angélique a dix ans. Par la loi du 30 floréal de l'an X, l'esclavage est rétabli dans la colonie. Rose dit que, de toute façon, rien n'a jamais changé, rien ne changera jamais. Pour elle, ces mots-là sont vides de sens. Esclavage ou liberté, abolition ou rétablissement… Elle a fait que ça, toute sa vie, obéir aux ordres et courber le dos, même quand elle vivait libre aux îles des Saintes, avec ce nègre pêcheur qu'était pas le père d'Angélique. Au début, c'était bien joli, la vie sous le drapeau de la liberté. Et puis le nègre s'est transformé en maître. Il a commencé à aboyer des commandements, à lancer des insanités, à menacer du fouet. Et tout ça pour des riens… un manger pas paré, un poisson si peu mal écaillé, un temps de causerie avec une voisine. Rose s'enfuit avant qu'il ne lui tranche le jarret. Elle retourne aux Trois-Rivières et Dame Véronique la reprend sans faire d'histoires. Esclave ou pas, Rose fait pas la différence. Elle se lève chaque jour à quatre heures du matin. Elle préfère être esclave au service de Dame Véronique plutôt que femme libre sous le joug d'un nègre. Alors tous ces va-et-vient de décrets d'abolition et de rétablissement de l'esclavage lui passent au-dessus de la tête. Elle s'en fiche tout bonnement.

Angélique se souvient…

Rose dit que c'est pas son affaire. « Du moment que t'as le boire et le manger et un coin de natte où coucher ton corps, t'occupe pas de la guerre. Écoute pas ces contes de nègres marrons qui campent là-haut dans les mornes. Ils gagneront jamais devant les maîtres. C'est pas nos affaires, Angélique. C'est pas la peine de s'illusionner. La liberté, c'est pas pour nous dans le pays Guadeloupe. La liberté, ils te la donnent d'une main pour la reprendre de l'autre quand ça leur chante. La liberté, c'est pas pour les nègres de notre espèce. De toute façon, on saurait pas quoi en faire. On a rien qui nous appartient, pas un bout de terre à planter, pas un commencement de case où loger. On a rien d'autre que nos bras et notre sueur. Et faudra bien trouver de quoi se nourrir, pas vrai ? Non, y a pas d'autre issue que rester là, à manger notre misère, travailler pour nos maîtres… »

Au mois de mai 1802, la guerre s'intensifie. Les maîtres ont gagné. L'esclavage est officiellement rétabli. Mais les nègres refusent de retourner dans les fers. Ils vont se battre pour la liberté. Même si cette liberté est pingre et boscotte, ils la désirent de toute leur âme. Ils la chérissent et ne veulent plus la perdre. Alors les révoltes grondent et enflent sur les habitations. Partout où porte le regard, s'élèvent de hautes flammes rouges et des colonnes de fumée noire. Les demeures des colons sont pillées, dévastées. Les maîtres sont pourchassés et étripés comme des bêtes fauves. Sans pitié. Non, pas de clémence pour ces rebuts du genre humain qui mettent leurs frères en servitude… Pas de larmes pour cette espèce qui ne sait que fouetter, marquer au fer, trancher jarrets… Pas de peine pour ces créatures qui prient Dieu et commercent avec le Diable… Las, les nègres échappés des plantations, rebelles et marrons, ne crieront pas longtemps victoire au spectacle des cannaies incendiées. Ils ne le savent pas encore, mais ils assistent aux ultimes soubresauts de leur liberté. Et c'est l'espoir qui agonise sous leurs yeux.

Les derniers résistants sont matés, rompus, brûlés vifs ou promis à la potence...

Le 28 mai 1802, le commandant Louis Delgrès se retranche au Matouba, sur l'habitation d'Anglemont. Trois cents de ses plus fidèles soldats l'accompagnent. Ses rêves de liberté anéantis, il met le feu à la poudrière. Vivre libre ou mourir. L'esclavage est rétabli dans la colonie.

Gisèle s'est endormie avec un mal au ventre. Sa tête repose sur les cuisses de Daisy. Tout ce déballage du passé chamboule les deux sœurs. À la grande Histoire, elles préfèrent les histoires de vie cousues des fils blancs du destin, des fils rouges de l'amour et des rêves. Tantôt, Daisy a eu une conversation très sérieuse avec Angélique. Cette dernière soutenait mordicus que les deux étaient intimement liées. La grande Histoire et la petite histoire. Qu'il était même impossible de les dissocier. Chacun, ici-bas, était assujetti à la première. Chacun, sur cette terre, durant son temps, traînait des chaînes et pâtissait de la grande Histoire combinée là-haut par une bande de mauvais esprits. Et on avait beau se débattre et gesticuler et jurer qu'on n'était pas mêlé à ces grandiosités, on choisissait pas librement sa destinée. On n'était jamais libre, même quand on n'était pas né dans les fers, même quand on avait la peau blanche et du sang bleu dans les veines… Même quand on vivait au XXIe siècle, comme Daisy, et qu'on filait à cent kilomètres à l'heure au volant d'une auto astiquée mieux que des souliers du jour de l'an, même quand on se proclamait des temps modernes, sur la terre de Guadeloupe, et qu'on savait lire et écrire, et qu'on possédait des papiers d'identité qui vous autorisaient à grimper dans le premier avion venu pour vous envoler dans le ciel et compter les nuages avec, en tête, l'idée qu'ils étaient peut-être les moutons égarés de votre troupeau. Non, on n'était jamais libre. Y avait des forces plus rosses qu'un maudit cyclone qui vous tombaient dessus et décidaient de démâter vos rêves. Des forces malfaisantes et guerrières commandaient votre existence. Oui, libre ou pas – la faute à la grande Histoire – on n'était guère mieux loti que ces cheptels de nègres lâchés jadis dans les plantations de canne. Selon Angélique, qu'on soit né ici ou là, au hasard du temps et du lieu, on était tous dans le même bateau de déveine, ballottés par les flots, chavirés dans les vents de la guerre, meurtris par les cahots de sa pauvre existence. Cependant on n'était pas des pantins de bois et de chiffon, c'est sûr… On était fait de chair et de sang. Une chair molle et vulnérable, un sang tiède, rouge, épais, chargé des humeurs de tous ceux qui vous avaient précédés, vous léguant leurs doutes, espérances et désillusions. Alors on avait des pensées voyageuses qui mettaient l'âme en déroute. Et voilà pourquoi on avait créé les dieux des cieux, les romances à l'eau de rose, les contes à dormir debout, les histoires d'amour, fleurs bleues et compagnie… Juste pour la consolation du cœur, un maigre remède qui n'affranchissait pas des raideurs de la vraie vie, qui ne soustrayait personne aux coups infligés par la grande Histoire.

Angélique prit le cas de Julia.

Elle commença chaque phrase par un *si*…

Si on avait laissé ses ancêtres en paix, là-bas, dans leur pays…

Si elle n'était pas née descendante d'esclave…

Si elle n'avait pas grandi sur une terre qui avait souffert de l'esclavage…

Si elle avait pas eu la peau si noire, la faute à ses ancêtres

Si en son temps elle avait pu aller à l'école

Si on n'avait pas forcé les nègres des colonies à se battre pour la France

Si elle avait pas dû travailler dans les champs, du fait de sa naissance

Si elle avait pas croisé la route de ce revenant de la sale guerre, pauvre bougre enrôlé de force dans l'armée française

S'il n'avait pas été là-bas, dans les tranchées boueuses

Et puis, si elle avait pas tremblé pour son Pied-chance...

Non, elle l'aurait pas envoyé en France pour le sauver des chiens de Sorin. Et il serait pas resté dans l'armée après la guerre. De toute façon, si y avait pas eu la guerre, il serait jamais parti. Il serait resté au pays. Il serait devenu maçon, menuiser, ébéniste peut-être. Un de ces nègres à talent comme il s'en faisait antan. C'est sûr, il aurait pas couru jusqu'aux confins du monde pour semer des enfants à tous les vents. S'il avait pas écouté l'appel du général Micro, s'il avait pas revêtu cet uniforme de soldat, il aurait jamais emporté le cœur de Daisy... Il aurait pas eu l'idée de libérer sa mère... Et Julia n'aurait pas connu la France...

Julia rêvasse sur la petite musique des paroles d'Angélique. Dans l'esprit de Julia, la grande Histoire du monde et les petites histoires des humains se mêlent à l'infini. Elle-même, négresse de Routhiers, n'en avait pas conscience, mais elle a traversé deux guerres mondiales. La première du temps de sa jeunesse et la seconde tandis qu'elle était femme mûre, mère et martyre. Elle vient de quelque part, d'une époque reculée où l'Histoire s'écrivait en lettres de feu sur le dos des nègres. Elle vient d'un pays oublié dans les cales des bateaux négriers. Elle est le fruit de conjonctions politiques, de commerce triangulaire, de préjugés raciaux. Est-ce que mon destin aurait été différent si on n'avait pas mené mes ancêtres dans les îles à sucre des Amériques ? se demande Julia. Quelle existence aurait été la mienne si j'avais grandi sur la terre africaine ?

Alors, nouant ensemble les fils des récits de ses compagnes, Julia s'invente une vie en Afrique, tout là-bas, sur le continent perdu. Négrillonne, elle court après trois chèvres. Elle s'arrête soudain, réajuste son pagne, son collier de cauris entre ses deux seins nus naissants. Debout, au mitan d'une immense savane pourpre plantée de baobabs séculaires, elle contemple le paysage. Elle voit des lions et des singes, des girafes et des éléphants. Et puis elle entend des voix. Ces voix viennent du village. Des cris d'enfants, des chants de femmes pilant le mil, des discours d'hommes assemblés autour de l'arbre à palabres. Le temps s'emballe. Elle est épouse et mère. Ses tétés pendent sur son estomac telles deux outres vides, flétries. Pieds nus, elle avance sur une route rouge et poudreuse. Elle est vieille. Elle marche au mitan de la savane qui a vu s'épanouir sa jeunesse. Elle meurt au pied du baobab. Elle n'a pas connu l'île papillon…

Soudain, les rires de Julia emplissent la geôle. Elle hoquette et pleure de rire. Et les deux sœurs la dévisagent, contrites, encore tout ébranlées des paroles amères d'Angélique.

– Eh bien, commence Julia en refoulant ses rires, si on n'est pas libre aujourd'hui comme hier, si aucun vivant noir ou blanc ne connaîtra jamais la couleur de la liberté sur la terre de sa naissance… eh bien, moi, je vous dis que je regrette pas l'Afrique de mes ancêtres. Je m'en fiche de ne pas avoir fréquenté les éléphants et les girafes de là-bas. Et tous ceux des Antilles qui la pleurent n'ont qu'à compter leurs jours restants… Eh bien, moi, je vous assure que j'ai aimé ma Guadeloupe, mon pays maudit, où je suis née, où j'ai vécu, où je suis enterrée. J'ai aimé ce pays meurtri par la grande Histoire, entaché de sorcellerie, brisé mille fois par les cyclones et les tremblements de terre. Sur le continent Guadeloupe, pas plus grand qu'un mouchoir de poche, j'ai peut-être vécu trois jours de paradis pour vingt mille jours d'enfer et cent de purgatoire. Eh bien, j'ai pas l'once d'un ressentiment. J'ai pas envie de troquer mon existence pour une autre. Le pays Guadeloupe est devenu mien. Et même si je peux guère remonter bien haut dans les branches de mon ascendance… Et même si d'aucuns racontent que je suis d'une race bâtarde et sans lignée, je peux vous dire que j'ai planté mes racines solide dans la terre de Guadeloupe. Et je l'ai aimée surtout. Je l'ai aimée d'amour. Et c'est comme ça qu'on peut se réclamer d'un pays. Pas besoin de signer d'une croix sur un papier du gouvernement. Pas la peine de jurer devant Dieu et les hommes que vous êtes un enfant véridique du pays. Juste aimer et chérir sa terre. Et se figurer que toutes les petites joies qu'elle vous procure sont un avant-goût du paradis. Planter des jeunes pousses dans son jardin. Regarder grandir les arbres que vous avez vus malingres, que vous avez soignés et couvés. Et puis, un jour, cueillir par brassées les fruits que la Divinité vous offre. Balayer son jardin comme si c'était un salon tout neuf, garni de meubles en acajou verni. Épousseter et lustrer le feuillage. Marcher en ce palais de verdure plus fière que la reine des Amériques. Goûter chaque instant de paix qui inonde le cœur. Attendre que la mort vienne vous prendre. Et, dans un dernier râle, souffler à ceux qui vous survivent que le pays les a choisis. Que le pays tout entier est leur jardin. Laisser là son corps retourner à l'état de poussière. Regarder s'envoler son âme sur les ailes d'un grand papillon. Et du ciel, libre enfin, dire adieu aux tourmentes de la grande Histoire, aux remous insignifiants de la petite histoire de votre vie.

Le temps s'étire, monotone, dans la geôle.

Angélique ne cause plus guère. Son visage est agité de tics et elle rumine des paroles qu'elle ne partage pas. Dans son coin, Julia rit seule aux histoires drôles qui lui traversent l'esprit. Est-ce qu'Angélique et Julia sont deux femmes folles reléguées dans la cellule d'un asile ? s'interroge Daisy. Mais que ferait Gisèle en ces lieux et en leur compagnie ? Est-ce que Gisèle est morte d'une folie amoureuse ? Et moi-même, se demande Daisy, à trop fuir le monde réel, à trop fréquenter des personnages d'encre et de papier, est-ce que je ne me serais pas égarée…

On avance toutes sortes de théories sur la folie. Des discours sans fondations courent ici et là. D'aucuns lancent des idées savantes bâties sur la chimie et le vent des suppositions. D'autres évoquent des âmes damnées, en errance sur la terre, et cherchant des créatures faibles où nicher leur déveine. On cause aussi d'héritages de malédiction, valises et baluchons légués par des aïeux débiteurs devant Dieu. On débat sur la présence de forces maléfiques qui faussent la réalité des jours, changent les couleurs du temps, prêtent des figures d'anges aux démons. On parle de batteries de machines diaboliques manœuvrées par quelques malins des Ténèbres. On affirme que certaines catégories de morts ont laissé leurs esprits en ce monde. Ces esprits parlent. Armés de cent mots, ils ressassent sans fin, jactant et chuintant à votre oreille, jusqu'à vous rendre fou. Les déments seuls entendraient leurs voix, leurs cris, leurs soupirs et leurs rires…

Daisy ne veut pas croire que Gisèle soit de ce genre de personne habitée par les démons ou bien les âmes en peine. Non, Gisèle est une héroïne de roman au destin malheureux. Gisèle est un visage empreint d'ombre sur une photo en noir et blanc écornée. Gisèle est une princesse endormie qui espère le baiser de son amoureux. Gisèle est une légende qui court dans les campagnes de Guadeloupe. Une légende plus grande que la grande Histoire de France. Gisèle est un mystère…

Même si elle ne se résout pas à abandonner là sa sœur, Daisy se languit de retourner parmi les vivants. Chaque matin, comme autrefois, elle coiffe Gisèle. Elle lui tresse une longue natte ou bien lui bâtit un chignon phénoménal qui demande précision et concentration. Les mains occupées, les heures et les jours passent plus vite. Daisy s'applique. Ses doigts s'enfoncent et se retirent de la chevelure de Gisèle. Toute dévolue à sa tâche, Daisy fredonne une chansonnette tandis que Gisèle soupire. Elle en connaît des centaines. Vraiment, Daisy aurait pu être chanteuse. En Guadeloupe, elle prête sa voix à une chorale. Elle chante tous les vendredis avec son club du troisième âge. Elle chante aussi chaque dimanche à la messe de Goyave. Elle chante le matin et le soir, seule, chez elle, dans sa case de Capesterre Belle-Eau, songeant parfois à sa sœur qui a vécu, éphémère, fleur d'un jour.

Le temps s'écoule ainsi.
Daisy chante.
Gisèle soupire.
Julia rit.
Angélique rumine.

Un matin, la porte s'entrouvre. Daisy se lève. Il est temps pour elle de retourner auprès des siens. C'est décidé, elle part. Elle embrasse les trois autres femmes, les remerciant de leur compagnie et des bons moments passés, à croire qu'elle s'adresse à ses amies de la chorale.

Gisèle sanglote et tortille le bord de son chapeau.

Julia envoie le bonjour aux enfants en agitant sa branche de goyavier.

Et contre toute attente, Angélique bougonne, renâclant à ces adieux.

– Je vais raconter la fin de mon histoire… Reste encore un peu…

– Je dois m'en aller, souffle Daisy.

– Reste encore un peu…

Angélique se souvient…

L'esclavage est officiellement rétabli en l'île Guadeloupe. Dame Véronique déclare que c'est un bien. Elle en est persuadée. Les choses vont rentrer dans l'ordre maintenant que la guerre a pris fin. Elle prophétise que la paix reviendra dans la colonie. Les escouades de nègres marrons qui semaient la terreur chez les honnêtes gens sont à la geôle en attendant la potence ou la clémence de leurs maîtres. Les rebelles ont été pendus haut et court. Delgrès ne causera plus le trouble dans les esprits. Il n'est plus de ce monde. Non, Dame Véronique ne prêche pas contre l'abolition mais, elle en est convaincue, il faut du temps avant que les nègres acquièrent la condition de libres. Faut que défilent des générations et des générations avant qu'ils se défassent de leurs penchants sauvages et comprennent la pleine signification du mot liberté. Faut les domestiquer, les éduquer, les soustraire à leurs dieux hideux, les désaliéner de leurs pratiques sorcières.

Angélique se souvient…
Elle a douze ans.
Dame Véronique boit le thé en compagnie de ses amies mulâtresses, deux femmes de sa caste. Elle raconte qu'elle a dû se présenter au préfet colonial pour montrer ses papiers et titres et patente attestant de sa qualité de femme libre de couleur. N'en est pas offusquée non plus humiliée. Elle répète que l'ordre reviendra en ce pays dès lors que chacun aura retrouvé son rang et sa place exacte. Elle dit que ses nègres sont traités avec grande humanité. Elle dit qu'elle est une bonne chrétienne et une maîtresse attentionnée au bien-être de ses travailleurs. Elle prend à témoin ma mère, Rose, qui opine et garde la tête baissée, à croire que son cou s'est cassé pour toujours. Et Dame Véronique détourne les yeux. Je me tiens sous le chambranle, invisible. Elle me toise comme si elle me voyait pour la première fois. Elle veut dire quelque chose mais elle se ravise. Elle saisit sa tasse de thé, toussote. La tasse lui échappe et se brise en trois morceaux sur le parquet ciré. Le thé brûlant a voltigé et maculé sa robe blanche.

Elle pousse un cri. Un seul cri, pareil à une sirène. Ma mère est déjà à ses pieds, servile, ramassant les morceaux, essuyant le parquet, épongeant les taches d'ambre sur les dentelles de coton blanc. Dame Véronique a oublié ses amies. Elle ne prête aucune attention à ma mère. Elle fixe mon caraco de toile écrue. Il est pas taché ni troué, non plus volé… Et ses lèvres tremblent tandis que son regard soupèse mes deux tétons durs. Je lis dans ses yeux. Elle voit en moi une femme. Est-ce qu'elle songe tout de suite au Sieur Jean-Féréol, son fils ? Je peux pas dire…

Angélique se souvient…

1806. Elle a quatorze ans. Jean-Féréol Pineau, fils de Dame Véronique, libre de couleur et épouse légitime de Jean-Baptiste Pineau, la regarde. Il regarde ses deux tétons qui percent sa casaque de bure. Il la regarde avec envie. Il a vingt-huit ans, le Sieur Jean-Féréol. Il a pas encore trouvé à se marier. Il a refusé d'épouser les donzelles de sa condition qui lui faisaient les yeux doux, avec l'assentiment de sa mère. Il regarde les négresses des champs. Il regarde la fille de la servante. Il regarde Angélique.

Julia mâchonne sa branche et inspecte les murs. Au fil des jours, les papillons ont complètement disparu. Leurs ailes sont parties en poussière. Julia connaît d'avance les paroles d'Angélique. Elle sait ce qu'il va advenir de la fillette de quatorze ans. Le grand méchant loup va la manger.

Je me souviens, murmure Angélique. Je me souviens de ce jour-là comme si c'était hier. La veille, y avait eu banquet chez Dame Véronique. Avec Rose, ma mère, et les autres servantes, on s'était affairées toute la matinée en cuisine. Levées à quatre heures du matin, on avait aussitôt mis au feu les poules qu'on avait plumées la veille. Y avait aussi du porc à braiser et des poissons capitaines à griller. Je me souviens du regard perçant de Rose. Fallait que tout soit parfait pour la réception de Dame Véronique. Fallait que l'argenterie brille et que la vaisselle étincelle. Fallait pas qu'y ait un pli de travers sur la nappe blanche. Alors les négresses de la maison filaient doux... Je me souviens des jattes de riz blanc, des trays débordant d'ignames et de bananes plantains. Je me souviens de la sueur qui mouillait le visage de Rose. Je la revois en train de s'essuyer avec un pan de son tablier blanc. À chaque instant, elle ramenait le même bout de tablier sur sa figure. Elle a sué toute la journée... Jusqu'à ce que les derniers invités s'en soient allés... Jusqu'à ce que Dame Véronique lui dise que le repas était à son goût et qu'elle avait reçu les félicitations de ses hôtes.

Le lendemain, Rose est partie avec Dame Véronique et Sieur Jean-Baptiste. Y avait l'enterrement d'un parent en Grande-Terre. Ils sont montés à trois dans la diligence. Et Rose m'a laissée là. Avec le Sieur Jean-Féréol qui avait pas voulu de dessert la veille. Elle m'a laissée là avec le Sieur Jean-Féréol qui avait pas eu son content de sucre la veille... Il avait dit non à la belle salade de fruits du dessert. « J'ai plus faim, je suis rassasié », qu'il a soufflé quand je lui ai présenté la coupe garnie des morceaux choisis de tous les fruits du verger. J'avais passé des heures à éplucher les mangos, les ananas, les bananes, les oranges et compagnie. Des heures à faire cubes et dés et rondelles avec ces fruits. Et, à la fin, je les avais tous mélangés. Et j'avais ajouté le jus de cinq citrons verts et trois louches pleines de sucre de canne bien nettoyé de ses poussières. Et Rose avait dosé les épices : cannelle, vanille, muscade, essence d'amande amère… « J'ai plus faim, je suis rassasié, je veux pas de dessert », qu'il a dit en soupesant du regard mes deux tétés qu'étaient à portée de ses mains…

Le soir, il pousse la porte de l'appentis où je dors d'ordinaire avec Rose. Mais Rose n'est pas là. Elle est partie en Grande-Terre avec Dame Véronique. Elle m'a laissée aux Trois-Rivières. Seule avec le Sieur Jean-Féréol Pineau.

Il se tient debout sous le chambranle. Il dit qu'il est venu chercher son dessert qu'il a pas voulu la veille. Je lui dis que la chaleur a gâté ce qui restait et qu'on a tout donné aux cochons et aux esclaves des champs. Il dit que c'est pas bien, que c'est du galvaudage et que les esclaves peuvent pas être mieux lotis que lui et se repaître d'une bonne salade de fruits tandis qu'il a tant faim. Alors, il prend dans ses mains mes tétés. Et c'est ainsi que tout a commencé avec mon maître, le Sieur Jean-Féréol.

Je sais pas s'il m'a aimée d'amour, mais il a tenu tête à sa mère et il a jamais voulu me quitter ni en épouser une autre, même quand elle l'a supplié à genoux, jurant qu'il allait la tuer avec ses nègreries. En 1807, quand j'ai été grosse de Virginie, mon aînée, elle nous a chassés. « Partez là-bas aux îles des Saintes ! qu'elle a ordonné. Et tant que vous n'entendrez pas raison, Jean-Féréol Pineau, ne cherchez pas à revenir aux Trois-Rivières. » Elle avait honte. Honte pour elle et son fils. Honte devant les mulâtresses de son acabit. Honte pour sa race. Elle l'avait pourtant éduqué de telle manière qu'il préfère le lait au charbon, la cire à l'ébène, la crème anglaise au boudin noir. Las, elle voulait que sa descendance blanchisse et fallait dire adieu aux alliances familiales projetées avec la mulâtraille... Fallait dire adieu à tous les beaux rêves d'une progéniture au teint clair et aux cheveux pas grainés...

Ils avaient des terres là-bas, aux îles des Saintes. Et aussi une case de changement d'air.

C'est là qu'on est partis se cacher du courroux de Dame Véronique. J'avais quatorze ans. Et Rose n'a rien dit. Elle a pas même pris ma défense quand Dame Véronique me maudissait de lui avoir volé son fils de vingt-huit ans. Quand Dame Véronique me traitait de diablesse ensorceleuse, jurant que par des magies noires j'avais tourné la tête et pris son esprit à Jean-Féréol. Rose a gardé bouche close. Elle m'a pas dit au revoir quand je suis montée dans la carriole avec mon

Sieur Jean-Féréol. Elle est restée à la cuisine, la tête baissée, le cou cassé pour l'éternité, à préparer le déjeuner du Sieur Jean-Baptiste Pineau qui avait laissé faire, pauvre, et se nourrissait déjà plus que de bouillie sans sel ni sucre, de purée d'ignames et de viande hachée.

Je l'ai plus jamais revue, Rose, ni vivante ni morte. Un jour de l'année 1810, quelqu'un venu du continent Guadeloupe m'a rapporté qu'elle était partie au ciel, sans souffrance. J'avais déjà trois enfants de mon Sieur Jean-Féréol. Une fille et deux garçons, tous mulâtres. Trois enfants en trois ans. Virginie, Colbert et Féréol, tous déclarés esclaves de leur grand-mère, Dame Véronique. Virginie, mulâtresse, née en 1807. Colbert, mulâtre, né en 1808. Et Féréol, mulâtre, né en 1809.

Entre 1810 et 1813, les Anglais et les Français se battent encore pour la Guadeloupe. Chacun son tour. Quand ils tiennent la Guadeloupe, je me souviens que les Anglais affranchissent par mille et un nègres.

Avec Jean-Féréol, on vit aux îles des Saintes dans la case de changement d'air. Je sais pas d'où il tire son argent, mais il va à ses affaires chaque semaine sur le continent Guadeloupe. Il y va tous les lundis. Il me prend matin et soir. On est comme mari et femme. Mais je suis toujours esclave et mes enfants aussi. Il dit que c'est pas la vérité. Que c'est lui qu'est mon esclave… Je lui dis que, si c'est le cas, il peut bien demander aux Anglais mon affranchissement. Il répond que j'appartiens à sa mère, Dame Véronique, du fait que ma mère, Rose, est son esclave. Il dit qu'on a bien de la chance qu'elle ait pas décidé de nous vendre à un autre maître, moi et mes trois enfants… Je le supplie de nous racheter à sa mère. Il s'embrouille et bafouille qu'il peut pas. « Je veux pas porter un autre coup de poignard à ma mère. Je veux pas qu'on dise que j'ai tué ma mère. » Il peut pas. Il veut pas… Mais il craint pas d'enfoncer son brandon dans mon corps. Et ça le dérange pas de me voir pondre des esclaves à la chaîne…

En 1814, les Français reprennent la Guadeloupe aux Anglais. C'est cette même année que décède le vieux Sieur Jean-Baptiste Pineau. Jean-Féréol se rend à l'enterrement et passe chez le notaire. Il hérite d'une case haute en la ville de Basse-Terre, de trois magasins, de terrains ici et là, et d'un petit magot.

Je me souviens, j'attendais son retour avec l'idée qu'il reviendrait pas. Je pensais que Dame Véronique allait le garder tout pour elle et l'amadouer avec son grand chagrin. Tôt le matin, il était parti dans son costume noir. Et dessous son haut-de-forme, ses yeux étaient embués de larmes. J'aurais voulu le consoler, le prendre dans mes bras, mais j'avais pas appris ces gestes-là. Je le voyais pas comme le père de mes enfants, seulement comme mon maître. Un vieux maître de trente-cinq ans qui avait pris ma virginité et m'avait privée de ma mère pour contenter sa chair.

Il est revenu. Je me souviens, j'avais le cœur en joie sans bien comprendre ce qui m'arrivait. J'ai fait comme si de rien n'était, mais j'ai éprouvé un sentiment pour lui. Quelque chose de fort pareil à un élan de cœur. Est-ce qu'à force de vivre à ses côtés, j'avais fini par m'attacher à lui ? Je peux pas dire. Et de quelle manière j'aurais pu m'attacher davantage ? J'étais déjà son esclave… Obligée de rester couchée sous lui. Forcée par entraînement à pas lui résister, à ouvrir les cuisses et, sans joie, attendre qu'il en ait terminé…

Après j'ai eu des enfants qui n'ont pas vécu bien longtemps. Des petits anges qui ont préféré s'envoler sitôt débarqués sur la terre. Des bébés avortés et mort-nés qui ont pas eu l'envie de connaître l'esclavage. Un marmot âgé d'un an à peine qui était bien portant, même pas malade, et qu'on a trouvé sans vie dans ses langes. Raide et froid et blafard…

Je me souviens que Jean-Féréol m'a regardée étrangement, à croire que j'avais quelque chose à voir avec le mystère de cette mort. J'avais vingt-huit ans. On était déjà en 1820. Et depuis 1809, l'année où j'avais mis au monde Féréol, mon dernier enfant vivant, tous ceux que j'avais portés s'en étaient allés. Il m'a toisée avec les yeux suspicieux de sa mère, Dame Véronique. Et là, j'ai lu, claires, ses pensées. Il était mon maître. Il se méfiait. Il avait peur. Il voyait en moi l'esclave ensorceleuse, l'empoisonneuse, l'avorteuse. Il voyait la négresse africaine avec ses herbes à maléfices et ses dieux rancuneux qui exigeaient des sacrifices et songeaient qu'à se repaître de la chair tendre des anges.

En 1822, Zénon est né, mulâtre. Il a survécu, je ne sais par quel miracle. L'année suivante, est arrivée ma Célanire, mulâtresse, le portrait de son père, mon dernier enfant. Cette année-là est belle dans mon souvenir. Partout, on entendait dire qu'il en était fini de la traite et que l'esclavage serait bientôt aboli. Cette année-là est morte Dame Véronique, à quatre-vingts ans, et on a quitté les îles des Saintes pour loger dans la grande maison de Trois-Rivières. Cette année-là, j'ai dormi pour la première fois dans le lit de feu Dame Véronique...

Je l'ai jamais revue, Dame Véronique... Depuis le jour de mes quatorze ans où j'ai embarqué dans la carriole qui nous mena au bateau pour les îles des Saintes. Je l'ai jamais revue ni vivante ni morte. Et j'ai pris sa place dans la grande maison de Trois-Rivières. Oui, j'ai pris toute la place et je suis devenue la maîtresse, même si j'étais toujours esclave en théorie dessous les articles du Code noir.

Un éclair traverse la geôle.
Un brouillard épais s'installe, coton blanc.

Les femmes se hèlent, se cherchent à tâtons. Elles pataugent dans le brouillard, se cognent les unes aux autres et finissent par se rassembler dans un coin, apeurées.

Un jour entier passe ainsi.

La nuit vient et elles s'endorment, toutes ensemble, ne formant plus qu'une seule créature femelle parée de huit tétés, de quatre têtes, de bras et jambes emmêlés.

Au matin, le brouillard s'en est allé, laissant dans l'air une moiteur lourde et sur les murs des écrits du passé. Des affiches d'un autre temps, vitement collées aux murs, un peu jaunies et brûlées sur le pourtour tels des parchemins. Daisy et Gisèle sont les premières à ouvrir les yeux. De quelle manière reconnaître les membres de son propre corps dans cet imbroglio de bras et jambes ? Avec mille précautions, comme dans un jeu de jonchets, elles soulèvent une main, extirpent un pied, retirent un bras, ramènent une jambe et puis dégagent leur corps tout entier. Angélique n'a pas bronché, Julia a juste un peu grogné et enlacé plus serré Angélique.

Article 13

Voulons que si le mari esclave a épousé une femme libre, les enfants, tant mâles que filles, suivent la condition de leur mère et soient libres comme elle, nonobstant la servitude de leur père, et que, si le père est libre et la mère esclave, les enfants soient esclaves pareillement.

Main dans la main, tremblantes, Daisy et Gisèle se tiennent devant un pan de mur, comme face à un grand tableau noir. Sont pareilles à deux écolières effarées qui n'ont pas appris leur leçon d'Histoire.

Article 16, bredouille Daisy.

Défendons aux esclaves appartenant à différents maîtres de s'attrouper le jour ou la nuit sous prétexte de noces ou autrement, soit chez l'un de leurs maîtres ou ailleurs, et encore moins dans les grands chemins ou lieux écartés, à peine de punition corporelle qui ne pourra être moins que du fouet et de la fleur de lys ; et, en cas de fréquentes récidives et autres circonstances aggravantes, pourront être punis de mort, ce que nous laissons à l'arbitrage des juges. Enjoignons à tous nos sujets de courir sus aux contrevenants, et de les arrêter et de les conduire en prison, bien qu'ils ne soient ni officiers et qu'il n'y ait contre eux encore aucun décret.

– Ils avaient peur, souffle Angélique en s'étirant.
– Si j'avais été esclave, j'aurais eu peur aussi, murmure Gisèle.
– Non, je parle pas des esclaves… Les maîtres avaient peur. On était trop nombreux. Les Bossales venus d'Afrique et la négraille née ici, ça faisait du monde…

Article 18
Défendons aux esclaves de vendre des cannes de sucre

pour quelque cause et occasion que ce soit, même avec la permission de leurs maîtres, à peine du fouet contre l'esclave, de dix livres tournois contre le maître qui l'aura permis et de pareille amende contre l'acheteur.

Le fouet, les châtiments… Daisy songe aux enfants dansant le tamouré sous les coups du Pater.

Article 21

Permettons à tous nos sujets habitants des îles de se saisir de toutes choses dont ils trouveront les esclaves chargés, lorsqu'ils n'auront point de billets de leurs maîtres, ni de marques connues, pour être rendues incessamment à leurs maîtres, si leur habitation est voisine du lieu où leurs esclaves auront été surpris en délit : sinon elles seront incessamment envoyés à l'hôpital pour y être en dépôt jusqu'à ce que les maîtres en aient été avertis.

Article 25

Seront tenus les maîtres de fournir à chaque esclave, par chaque an, deux habits de toile ou quatre aunes de toile, au gré des maîtres.

Article 28

Déclarons les esclaves ne pouvoir rien avoir qui ne soit à leurs maîtres ; et tout ce qui leur vient par industrie, ou par la libéralité d'autres personnes, ou autrement, à quelque titre que ce soit, être acquis en pleine propriété à leurs maîtres, sans que les enfants des esclaves, leurs pères et mères, leurs parents et tous autres y puissent rien prétendre par successions, dispositions entre vifs ou à cause de mort ; lesquelles dispositions nous déclarons nulles, ensemble toutes les promesses et obligations qu'ils auraient faites, comme étant faites par gens incapables de disposer et contracter de leur chef.

Article 38

L'esclave fugitif qui aura été en fuite pendant un mois, à compter du jour que son maître l'aura dénoncé en justice, aura les oreilles coupées et sera marqué d'une fleur de lys sur une épaule ; s'il récidive un autre mois pareillement du jour de la dénonciation, il aura le jarret coupé, et il sera marqué d'une fleur de lys sur l'autre épaule ; et, la troisième fois, il sera puni de mort.

Article 44

Déclarons les esclaves être meubles et comme tels entrer dans la communauté, n'avoir point de suite par hypothèque, se partager également entre les cohéritiers, sans préciput et droit d'aînesse, n'être sujets au douaire coutumier, au retrait féodal et lignager, aux droits féodaux et seigneuriaux, aux formalités des décrets, ni au retranchement des quatre quints, en cas de dispositions à cause de mort et testamentaire.

– C'est en 1828 qu'il a demandé mon affranchissement, mon Sieur Jean-Féréol Pineau. Il a attendu cinq ans après le décès de Dame Véronique. Il a attendu tout ce temps parce que je crois bien qu'il voulait être sûr qu'elle soit plus de ce monde, Dame Véronique… Sûr que ses os soient bien desséchés et son esprit parti voir ailleurs. Après, la loi a déclaré que j'étais d'un coup une dame… Avec ma patente de liberté, je suis devenue Dame Angélique, négresse, libre de couleur.

Article 55
Les maîtres âgés de vingt ans pourront affranchir leurs esclaves par tous actes vifs ou à cause de mort, sans qu'ils soient tenus de rendre raison de l'affranchissement, ni qu'ils aient besoin d'avis de parents, encore qu'ils soient mineurs de vingt-cinq ans.

– Après, j'ai pas cessé de le piquer jusqu'à ce qu'il demande une patente de liberté, pour nos enfants.

Article 57
Déclarons leurs affranchissements faits dans nos îles, leur tenir lieu de naissance dans nos dites îles et les esclaves affranchis n'avoir besoin de nos lettres de naturalité pour jouir des avantages de nos sujets naturels notre royauté, terres et pays de notre obéissance, encore qu'ils soient nés dans les pays étrangers.

Article 58

Commandons aux affranchis de porter un respect singulier à leurs anciens maîtres, à leurs veuves et à leurs enfants, en sorte que l'injure qu'ils leur auront faite soit punie plus grièvement que si elle était faite à une autre personne ; les déclarons toutefois francs et quittes envers eux de toutes autres charges, services et droits utiles que leurs anciens maîtres voudraient prétendre tant sur leurs personnes que sur leurs biens et successions en qualité de patrons.

Article 59

Octroyons aux affranchis les mêmes droits, privilèges et immunités dont jouissent les personnes nées libres ; voulons que le mérite d'une liberté acquise produise en eux, tant pour leurs personnes que pour leurs biens, les mêmes effets que le bonheur de la liberté naturelle cause à nos propres sujets.

Angélique déplie la page de la *Gazette officielle de la Guadeloupe* et la montre une nouvelle fois aux autres.

– Il a attendu l'année 1831 avant de demander l'affranchissement de ses cinq enfants.

– Il a attendu d'être à deux pas de la mort pour m'épouser. Le oui qu'il a dit le jour de notre mariage, c'était un râle de mourant. Je me souviens même plus sur quelle carriole on a quitté Trois-Rivières pour gagner Basse-Terre. Je sais seulement que je suis revenue avec mon nom : Pineau. Et le même jour, mon Sieur Féréol a demandé qu'on légitime nos cinq enfants. Et on est tous rentrés avec notre nom : Pineau. Et moi, en ce 8 juin 1837, j'étais plus fière qu'une cane avec ses canetons.

– Après, mon Sieur Jean-Féréol Pineau a pas tardé. Il est décédé dix jours après. Le 18 juin 1837, âgé de cinquante-huit ans. Et, fils unique, il m'a légué tout son héritage… Les terres aux îles des Saintes, les terres sur le continent Guade-loupe, en Grande-Terre et en Basse-Terre… Les maisons et les magasins en ville dont je n'avais même pas connaissance, les champs de canne et les esclaves qui allaient avec…

– Avec tout ça, vous comprenez que j'étais dans un état d'euphorie, même si j'étais en veuvage. Dame Angélique Pineau qu'on m'appelait ! Dame Angélique… J'avais gagné mon nom Pineau, gagné ma liberté, gagné la liberté de mes cinq enfants, gagné ma place dans la colonie… Et j'avais des terres… J'étais propriétaire… Et je voulais le meilleur pour mes Pineau… Des costumes et des robes taillés dans les plus belles étoffes, les bottines à lacets, les gros morceaux de viande, les platées de riz blanc… La même année, j'ai entendu causer d'un Sieur Auguste Bébian, un nègre libre, qui avait fondé à la Guadeloupe la première école pour les enfants de couleur. J'ai envoyé là-bas, en pension, mes deux derniers, Zénon et Célanire ; les plus grands ont pas voulu y aller. Ils ont dit que c'était trop tard pour eux…

– La même année, 1837, y a eu ce grand tremblement de terre qui a détruit Pointe-à-Pitre et ses environs. On a pas eu de dégâts aux Trois-Rivières. Mais c'est à compter de cette catastrophe que je me suis mise à attendre qu'on me reprenne tous mes biens et même ma liberté… J'avais la certitude que tout cela ne durerait pas, que la nature ou bien les hommes avec leurs lois trouveraient le moyen de me retirer ce que mon Sieur Jean-Féréol m'avait légué. Chaque matin, je m'étonnais de me trouver entière dans le lit chaud où la vieille Dame Véronique s'était éteinte, et de regarder le toit même pas percé au-dessus de ma tête. J'attendais un cyclone, un incendie, un tremblement de terre, un nouveau décret de rétablissement de l'esclavage… Un rien me faisait tressauter, un craquement du plancher, une luciole dans la nuit, un aboi de chien au loin… C'est étrange de voir de quelle façon le chagrin peut succéder à la joie, et de comprendre qu'une si grande joie peut accoucher de tant de peurs. J'étais tout le temps aux aguets. Je pouvais pas entendre un cri sans imaginer ma petite Célanire à la potence. Et j'étais persuadée que les femmes mulâtresses, qui convoitaient antan Jean-Féréol, s'étaient liguées et complotaient avec des gens de loi dans le but de me reprendre mon héritage. Et parfois, me réveillant, je me pinçais à trois fois pour vérifier que j'étais bien dans la réalité du monde, dans la réalité des choses… Et dedans ma tête, y avait une petite voix qui répétait que j'étais pas à ma place, que j'allais tout perdre, que mes enfants payeraient si je m'obstinais…

– J'ai recommencé à dormir par terre, sur une natte. Mais la voix s'est pas éteinte. Alors, j'ai pensé que c'était l'esprit de Dame Véronique qui venait me tourmenter. Sitôt que son fils était parti au ciel, elle s'était retournée dans sa tombe. Et elle allait pas me laisser en paix tant que je quittais pas sa maison des Trois-Rivières.

– J'ai fini par partir. Je suis retournée aux îles des Saintes. Mais c'est pas pour autant que j'ai trouvé la paix. J'arrêtais pas de penser à la Dame Véronique. Son esprit venait me visiter jusqu'aux îles des Saintes.

– Je vivais là depuis cinq ans quand y a eu un nouveau tremblement de terre sur le continent Guadeloupe. Aux Trois-Rivières, la maison de Dame Véronique n'a point souffert. Même pas été secouée. La seule des environs à être demeurée debout au mitan des autres éboulées.

– J'ai jamais remis les pieds dans la maison des Trois-Rivières. Je suis sûre que Dame Véronique a repris sa place là-bas et que personne pourra jamais l'en déloger...

– En février 1848, le 29, Colbert s'est marié avec sa Marie Luce. Ils avaient déjà sept enfants qu'ils ont légitimés le jour de leurs épousailles, le 29 février 1848. Quand j'ai pris le bateau pour me rendre à la Basse-Terre afin de signer l'acte de consentement à son mariage, Colbert m'a demandé la permission de recevoir son monde aux Trois-Rivières. Il avait déjà quarante ans et sept petits, pourtant j'ai dû lui refuser ce plaisir.

– Il s'est marié aux îles des Saintes, Colbert. Et ce fut une bien belle journée… Sauf que le soir, un papillon noir s'est posé sur la tête de mon Colbert.

– La même année, 1848, ils ont encore une fois proclamé l'abolition de l'esclavage. Tout le monde est déclaré citoyen de la République… Cette fois, c'est sûr, il n'y aura pas de revirement des choses. Les nègres sont libres pour l'éternité… Sauf qu'on n'empêchera jamais les morts de venir nous hanter. Sauf qu'on sera toujours embarrassé de leurs vieilles histoires, même si elles nous sont parvenues déformées avec le temps, empoussiérées, délavées…

Daisy hoche la tête.
Angélique replie la page de la *Gazette*.
Julia sourit aux dernières paroles d'Angélique…

Libre pour l'éternité…
Hanté par les morts…
Embarrassé des histoires du passé…

Julia se souvient…
1967. Le retour en Guadeloupe sur le paquebot *Antilles*.
Elle revoit le morne qui grimpe là-haut, jusqu'à Routhiers.

Et son cœur se met à palpiter comme un petit cœur rose de donzelle qui s'en va à la rencontre de son fiancé. Elle va retrouver son jardin, ses grands arbres, la terre noire où fourrer les mains. Sa terre à pétrir comme de la bonne pâte à pain. Sa terre à ensemencer. La terre de son pays. Elle va revoir son bourreau, pauvre bougre délaissé.

Julia se souvient...
Son regard se perd dans la contemplation des bananeraies qui ouvrent la route devant elle. Non, elle ne marche pas dans un rêve de France accommodé à la sauce blanche. Non, elle ne va pas se réveiller sur sa couche étroite du Kremlin-Bicêtre. Elle se pince. Elle écarquille les yeux. Elle ne dort pas. C'est bien la réalité. Elle hume l'air. Senteurs de bois, cannelle et muscade, vanille et ylang-ylang. Et tandis que l'automobile trace à toute allure, Julia rassemble ses esprits. Elle a réussi. Elle a traversé la mer. Elle est de retour sur l'île papillon. Elle remercie Dieu. Elle va mourir sur sa terre et aucune fourmi-France ne goûtera le sel de ses humeurs. Aucun vermisseau ne se repaîtra de ses vieux os. Et personne ne la fera plus quitter sa terre.

Julia se souvient...
L'auto la dépose au bord du chemin, à trois pas de sa case. Elle s'accroupit et baise la terre noire de Routhiers. Un petit vent de bienvenue souffle des paroles douces à son oreille. Elle se relève. Elle n'a plus peur. Elle n'a plus peur de rien.

Ni du bourreau ni de ses yeux verts de colère. Elle lui dira qu'elle est revenue du pays-France pis qu'une femme folle sortie de l'asile. Elle lui dira de ne plus jamais lever la main sur elle, de ne plus la menacer, de ne plus injurier sa maman défunte… Elle n'a plus peur de la vie qui va son chemin. Elle n'a plus peur de rien, même pas de la mort…

Julia se souvient…

La boutique de la Dame Louise se tient à la même place, tout en haut des satanées marches que Julia empruntait autrefois pour quémander un crédit. C'est fini, ce temps-là… Elle est arrivée. Elle est revenue. Sa case est là, dessous le feuillage dense et les grands bois, pareille au souvenir. Amas de tôle piquée de rouille, bric-à-brac de planches grises ravaudées à la diable, assiégées par des armées de vermine. Le bourreau a vieilli. Sa peau est toute flétrie sur son vieux corps. Il ressemble maintenant à un arbre noueux, pourrissant de l'intérieur. Il la salue comme une personne étrangère et s'efface sur son passage. Elle n'a pas besoin de parler, non plus de le mettre en garde. Leurs regards se sont rencontrés. Dans les yeux de Julia, il a lu la page qui lui est destinée. Elle est de retour chez elle. Elle va plus courber l'échine dessous les coups et les jurons. Elle va plus mendier trois sous… Ses yeux aussi savent lancer des éclairs. Et sa main est capable de tenir serré le manche d'un coutelas pour fendre et hacher.

Julia se souvient…

Le jour de son grand retour à Routhiers, elle veut emplir ses yeux du spectacle des bois. Elle marche sur la trace qui mène à la Soufrière. Elle baigne son corps dans la rivière où, antan, elle lessivait le linge de son bourreau. Elle prend position sur une roche et elle regarde filer l'eau. Elle saisit un galet et s'en frotte les talons. Elle n'est pas seule. Des pensées l'accompagnent, comme toujours. Sa vie défile devant ses yeux, pareille à l'eau de la rivière qui n'en finit pas de charrier des branches cassées, des grenouilles mortes, des petits oiseaux noyés. Elle a voyagé. Là-bas, en France, elle a traversé des hivers. Elle a vu la neige. Elle a même goûté de cette neige qui n'était ni salée ni sucrée, juste glacée. Elle l'a piétinée. Elle a laissé la marque de ses pas dans la neige et elle est revenue pour mourir sur sa terre, son bout de terre tellement insignifiant, son aile de papillon. C'est décidé, elle va reprendre sa vie d'ici. Elle referme la parenthèse France. Alors, elle se redresse, tel un jeune arbre couché par le souffle d'un cyclone. Elle déploie ses branches et enfonce ses pieds dans la terre. La terre noire de son pays.

Julia se souvient…

Elle est comme ivre lorsqu'elle descend la route pour retrouver sa case. Elle croise des gens qui la reconnaissent et la saluent en hélant son nom : « Hé ! Man Pineau ! Ou rouviwé ! » Et dessous leurs paroles de politesse, elle entend bien ce qu'ils lui disent en vérité. « Tu es revenue sur cette terre à maudition ! Tu es revenue sous le joug de ton bourreau ! Tu es revenue prendre du fer ! » Mais au lieu de pleurer, elle rit. Et elle répond : « Bien bonjour, messieurs et dames ! An rouviwé ! » Elle rit. C'est alors qu'elle passe devant la case d'une vieille voisine d'autrefois… Xénia.

Julia la retrouve comme si elle l'avait quittée l'avant-veille. La femme est assise sur une marche de sa case. Elle caresse un chien créole nouveau-né qu'elle tient entre ses cuisses. Sa robe madras est défraîchie et trouée, élimée. La vieille Xénia fait tout comme si Julia n'avait jamais laissé Routhiers. Elle la salue d'un bref signe de tête. Derrière la vieille négresse, sa case déposée sur quatre roches est ouverte de part en part. On regarde dans la case et on voit, comme un tableau, un morceau du ciel pris entre deux mornes. On va vers le couchant. Les nuages virent au gris. Non, il n'y a pas de grand ménage en dedans, juste le nécessaire sauvé d'une femme seule qui a perdu sa jeunesse aux cannes des plantations. Une couche posée sur trois pieds valides et une béquille. Un tréteau recouvert d'une nappe en sacs de farine-France. Deux chaises au cannage affaissé, une autre en prolongement de vie, le siège secouru d'une planchette. Des fleurs en plastique sur la table. Une gravure de la Sainte Vierge.

Le chiot créole grimpe dans les jupes de Xénia. Il grogne et essaye ses dents neuves sur le petit doigt de Xénia. Elle lui donne des tapes sur le dos et des caresses aussi.

– Alors, tu es de retour. Tu as trouvé ta case en état ?

Regarde mon petit chien comme il est beau ! Je connais pas sa manman, mais il m'a prise en amitié. Et si je meurs demain, je sais même pas qui lui donnera un restant de manger. Regarde, il a pas de race. Il est noir et caco avec du blanc sur le poitrail et ses pattes de devant sont toutes dorées. Tu vois, je vivais dans la solitude. Mais j'ai un compagnon à présent. Dis-moi, tu es partie combien de temps, Julia ?

– On lo tan…

– Et qu'est-ce que tu as rapporté de là-bas ?

– A yen mèm ! Je songeais rien qu'à mon jardin.

Et les deux femmes devisent ainsi, de tout et de rien, de la vie et de la mort, le temps que la nuit tombe.

Le surlendemain, Julia passe de nouveau devant la case de la vieille Xénia. Le petit chien est là. Au creux d'une roche, il tète une eau dormante. Les portes de la case sont closes. Dessous la tôle, des herbes Guinée poussent une barbe sauvage. Des crabes de terre grouillent dessous le plancher. Alentour des quatre roches sur lesquelles est déposée la case, des fourmis forment des bataillons.

Deux jours plus tard, Julia apprend que la vieille Xénia est décédée au carême de l'année précédente, laissant – paraît-il – sur terre un chien bâtard inconsolable qui marcha derrière son cercueil jusqu'au cimetière de Capesterre Belle-Eau.

Les gens racontent que Xénia avait eu autrefois un fils qu'éleva une tante de Grande-Terre… Un fils curieusement disparu, parti en France et jamais revenu… D'après certaines bouches, le fils serait mort, là-bas, à peine débarqué… Même pas le temps de respirer l'automne et de voir tomber la neige…

On fit courir le bruit que le chiot bâtard était sûrement ce fils…

Mais arrêtons là. Non, il ne faut pas croire toutes les histoires.

Beaucoup sont un ramassis de souvenirs fabriqués au petit bonheur la chance, avec un zombi en noir et blanc, un extrait de naissance, un manguier séculaire… D'autres sont réinventées par les machines à remonter le temps des donneurs de leçons. Ici et là, il se trouve des histoires inspirées par de mauvais esprits qui corrompent votre plume, attisant votre ego. Quelques-unes – rares – sont soufflées par les voix des morts ou des vivants. Ceux d'antan, ceux d'aujourd'hui, qu'on peut entendre clairement si l'on prête l'oreille. Ces histoires sont comme puisées à la source et il suffit de joindre les mains pour recueillir l'eau qui s'écoule là, s'en abreuver. Elles ont traversé des siècles de mots, des ères de silence, des nuits d'infamie. Elles ne craignent pas la nudité des écrits couchés sur le papier. Elles tracent leur chemin à l'encre de la vie, réelle ou rêvée.

Table

Cet ouvrage a été achevé d'imprimer
en décembre 2020 dans les ateliers de
Black Print

Dépôt légal : janvier 2021
ISBN : 978-2-84876-853-3
Imprimé en Espagne